3학년이 꼭 알아야 할

3학년이 꼭 알아야 할

수학 문장제

수학 문장제의 구성

1. 1학년부터 6학년까지 각 학년별 한 권씩으로 구성되어 있습니다.
2. 상위권 학생은 물론 중하위권 학생까지 누구나 쉽게 공부할 수 있도록 구성하였습니다.
3. 각종 수학 문장제를 해결하는 방법을 명쾌히 제시하여 수학 문장제에 자신감을 얻도록 하였습니다.
4. 자학자습용으로 뿐만 아니라 학원에서 특강용으로 활용할 수 있도록 구성하였습니다.

수학 문장제의 특징

탐구문제
각 문장제의 원리를 알 수 있도록 구성하였습니다.

확인문제
탐구문제에서 터득한 원리를 확인할 수 있도록 하였습니다.

동메달 따기
문장제의 기본 원리를 적용하여 문제 해결을 함으로써, 자신감을 갖도록 하였습니다.

은메달 따기
동메달 따기에서 얻은 자신감을 바탕으로 좀 더 향상된 문제해결력을 지닐 수 있도록 하였습니다.

금메달 따기
다소 발전적인 문제로 구성되어, 도전의식을 지니고 문제를 해결해 보도록 하였습니다.

Contents
차례

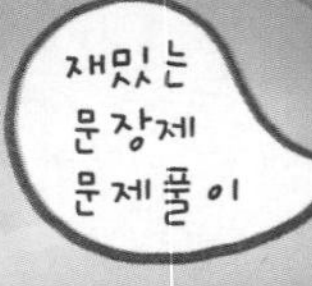
재밌는
문장제
문제풀이

난
은메달.
수학 문장제
3학년
에쿠
동메달..
그래두 좋아.

1 덧셈식과 뺄셈식 세워 해결하기

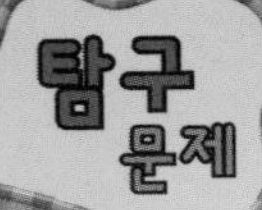

놀이 공원에 입장한 사람은 여자가 567명, 남자가 754명입니다. 다음 물음에 답하시오.

(1) 놀이 공원에 입장한 사람은 모두 몇 명입니까?

(2) 남자는 여자보다 몇 명 더 많습니까?

풀이 세로셈으로 계산하면 다음과 같습니다.

(1)

$$\begin{array}{r} \\ 567 \\ +754 \\ \hline \\ \end{array} \rightarrow \begin{array}{r} {\scriptstyle 1}\ \ \\ 567 \\ +754 \\ \hline 1 \end{array} \rightarrow \begin{array}{r} {\scriptstyle 1\ 1}\ \ \\ 567 \\ +754 \\ \hline 21 \end{array} \rightarrow \begin{array}{r} {\scriptstyle 1\ 1}\ \ \\ 567 \\ +754 \\ \hline 1321 \end{array}$$

따라서, 놀이 공원에 입장한 사람은 모두 567+754=1321(명)입니다.

(2)

$$\begin{array}{r} \\ 754 \\ -567 \\ \hline \\ \end{array} \rightarrow \begin{array}{r} {\scriptstyle 4\ 10} \\ 754 \\ -567 \\ \hline 7 \end{array} \rightarrow \begin{array}{r} {\scriptstyle 6\ 14\ 10} \\ 754 \\ -567 \\ \hline 87 \end{array} \rightarrow \begin{array}{r} {\scriptstyle 6\ 14\ 10} \\ 754 \\ -567 \\ \hline 187 \end{array}$$

따라서, 남자는 여자보다 754−567=187(명) 더 많습니다.

받아올림과 받아내림에 주의하여 일의 자리부터 차례로 계산합니다.

Check Point

각 자리의 수끼리의 합이 10과 같거나 10보다 크면 윗자리로 받아올림하고, 각 자리의 수끼리 뺄 수 없을 때는 바로 윗자리에서 받아내림을 합니다.

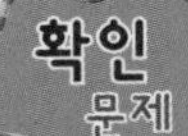

석기네 학교의 3학년 학생은 312명이고, 이 중 여학생은 149명입니다. 남학생은 몇 명인지 구하시오.

1 3학년 학생은 모두 몇 명입니까? (　　　　　　　　)

2 3학년 학생 중 여학생은 몇 명입니까? (　　　　　　　　)

3 남학생은 몇 명인지 식을 세워 구하시오.

(　　　　　　　　　　　　　　)

3학년 학생 전체에서 여학생 수를 빼면 되겠네요!

동메달 따기

생각의 샘

1 지혜네 집에서는 작년에 수박을 768통 수확하였고, 올해에는 작년보다 259통 더 많이 수확하였습니다. 올해에 수확한 수박은 몇 통인지 구하시오.

'~보다 더 많이'는 덧셈을 '~보다 더 적게'는 뺄셈을 이용합니다.

답 ____________

2 규형이네 학교 운동장 한 바퀴는 286m입니다. 규형이가 오늘 아침에 운동장 두 바퀴를 뛰었다면, 뛴 거리는 모두 몇 m인지 구하시오.

답 ____________

3 어떤 수에 813을 더했더니 931이 되었습니다. 어떤 수는 얼마인지 구하시오.

■+●=★
➡ ■=★−●

답 ____________

먼저 학생 수가 가장 많은 학년과 가장 적은 학년의 학생 수를 알아봅니다.

4 다음은 가영이네 학교의 학년별 학생 수를 나타낸 표입니다. 학생 수가 가장 많은 학년과 가장 적은 학년의 학생 수의 합은 몇 명인지 구하시오.

학년	1	2	3	4	5	6
학생 수(명)	198	217	231	225	243	237

답 ____________

(세 사람이 딴 귤의 수)
=(예슬이가 딴 귤의 수)
+(어머니가 딴 귤의 수)
+(아버지가 딴 귤의 수)

5 예슬이는 593개, 어머니는 1139개, 아버지는 975개의 귤을 땄습니다. 세 사람이 딴 귤은 모두 몇 개인지 구하시오.

답 ____________

팔고 남은 배를 구하는 것이므로 뺄셈을 이용합니다.

6 한초네 과일 가게에는 1862개의 배가 있었습니다. 그 중에서 어제 459개를 팔고, 오늘 694개를 팔았습니다. 남은 배는 몇 개인지 구하시오.

답 ____________

1 줄넘기를 한별이는 286번 넘었고, 가영이는 한별이보다 148번 더 많이 넘었습니다. 한별이와 가영이가 넘은 줄넘기 횟수는 모두 몇 번인지 구하시오.

(가영이가 넘은 줄넘기 횟수)
=(한별이가 넘은 줄넘기 횟수)+148

풀이

답 ______________

2 어떤 공장에서 인형을 어제는 397개 만들었고, 오늘은 어제보다 159개 더 적게 만들었습니다. 어제와 오늘 이 공장에서 만든 인형은 모두 몇 개인지 구하시오.

(오늘 만든 인형의 개수)
=(어제 만든 인형의 개수)
−159

풀이

답 ______________

3 다음과 같은 4장의 숫자 카드를 한 번씩만 사용하여 만들 수 있는 네 자리 수 중 가장 큰 수와 가장 작은 수의 차를 구하시오.

천의 자리에는 0이 올 수 없습니다.

7, 9, 0, 3

답 ______________

100원짜리 동전 18개?
➡ 1800원
10원짜리 동전 26개?
➡ 260원

4 한초는 1000원짜리 지폐 3장, 100원짜리 동전 18개, 10원짜리 동전 26개를 가지고 있습니다. 예슬이는 한초보다 750원을 더 많이 가지고 있습니다. 예슬이가 가지고 있는 돈은 얼마인지 구하시오.

풀이

답 ______________

오늘 팔고 남은 사과와 귤의 개수를 각각 구한 후 비교합니다.

5 과일 가게에 사과가 521개, 귤이 868개 있었습니다. 오늘 사과는 274개, 귤은 499개 팔았다면, 사과와 귤 중 어느 것이 얼마나 더 많이 남았는지 구하시오.

풀이

답 ______________

900석에서 1, 2, 3학년 학생들이 앉는 좌석 수를 뺍니다.

6 지혜네 학교 1학년은 203명, 2학년은 221명, 3학년은 228명입니다. 900석이 있는 학교 강당에 1, 2, 3학년 학생들이 모두 들어가서 앉는다면 빈 좌석은 몇 석인지 구하시오.

풀이

답 ______________

1 ■+★+●의 값을 구하시오.

- ■는 ●보다 213 큰 수입니다.
- ★은 ■보다 578 작은 수입니다.
- ●은 가장 큰 세 자리 수입니다.

답 ____________

2 지혜는 1850원을 가지고 있습니다. 규형이는 지혜보다 790원 더 많이 가지고 있고, 예슬이는 지혜와 규형이가 가진 돈의 합보다 1530원 더 많이 가지고 있습니다. 세 사람이 가지고 있는 돈은 모두 얼마인지 구하시오.

(규형이가 가진 돈)
=(지혜가 가진 돈)+790
(예슬이가 가진 돈)
=(지혜가 가진 돈)+(규형이가 가진 돈)+1530

풀이

답 ____________

3 어떤 세 자리 수를 백의 자리의 숫자와 일의 자리의 숫자를 바꾸어 275를 더했더니 601이 되었습니다. 처음 세 자리 수와 바꾼 수의 차는 얼마인지 구하시오.

처음 세 자리 수가 ★■▲이면 바꾼 수는 ▲■★입니다.

풀이

답 ____________

2 곱셈식 세워 해결하기

탐구 문제

사과가 한 상자에 54개씩 들어 있습니다. 6상자에 들어 있는 사과는 모두 몇 개인지 구하시오.

풀이 6상자에 들어 있는 사과의 개수를 수 모형으로 알아보면 다음과 같습니다.

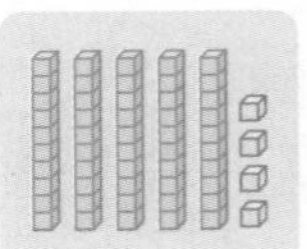 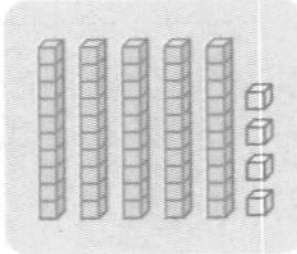 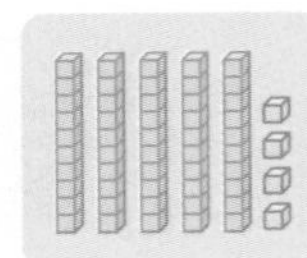 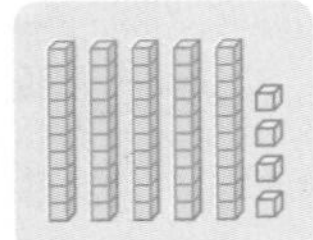

낱개 모형은 4개씩 6묶음이므로 $4 \times 6 = 24$(개)이고, 십 모형은 5개씩 6묶음으로 $5 \times 6 = 30$(개)이므로 낱개로는 300개입니다. 따라서, $24 + 300 = 324$이므로, 사과의 개수는 324개입니다.

이것을 하나의 곱셈식으로 나타내면 $54 \times 6 = 324$(개)입니다.

꼼꼼 돌다리

$$\begin{array}{r} 54 \\ \times\ {}_2 6 \\ \hline 324 \end{array}$$

왼쪽과 같이 세로셈으로 계산할 때, 올림한 수를 잊지 않도록 작게 써 가면서 계산합니다.

Check Point

사과가 □개씩 △상자 있을 때, 사과의 개수는 □×△와 같이 곱셈식으로 나타내어 구합니다.

확인 문제

3학년과 4학년 학생들이 운동장에 줄을 섰습니다. 3학년 학생은 24명씩 15줄로 섰고, 4학년 학생은 32명씩 12줄로 섰습니다. 운동장에 줄을 선 3학년 학생과 4학년 학생은 각각 몇 명인지 구하시오.

1 3학년 학생과 4학년 학생은 각각 한 줄에 몇 명씩 섰습니까?

( )

2 3학년 학생은 모두 몇 명인지 식을 세워 구하시오.

( )

3 4학년 학생은 모두 몇 명인지 식을 세워 구하시오.

( )

운동장에 줄을 선 3학년 학생과 4학년 학생의 수를 구하려면 곱셈식을 세워야겠네요.

동메달 따기

생각의 샘

1 동민이의 양팔을 벌린 길이는 132cm입니다. 동민이가 양팔을 벌려 벽의 길이를 재었더니 8번 잰 것과 같았습니다. 이 벽의 길이는 몇 cm인지 구하시오.

8번 더하는 것보다는 8을 곱하는게 더 편합니다.

풀이

답 ____________

2 동화책 한 권은 184쪽으로 되어 있습니다. 같은 동화책 9권은 모두 몇 쪽인지 구하시오.

풀이

답 ____________

3 하루에 TV를 128대씩 만드는 공장이 있습니다. 이 공장에서 일 주일 동안 만드는 TV는 모두 몇 대인지 구하시오.

일 주일은 7일이지요!

풀이

답 ____________

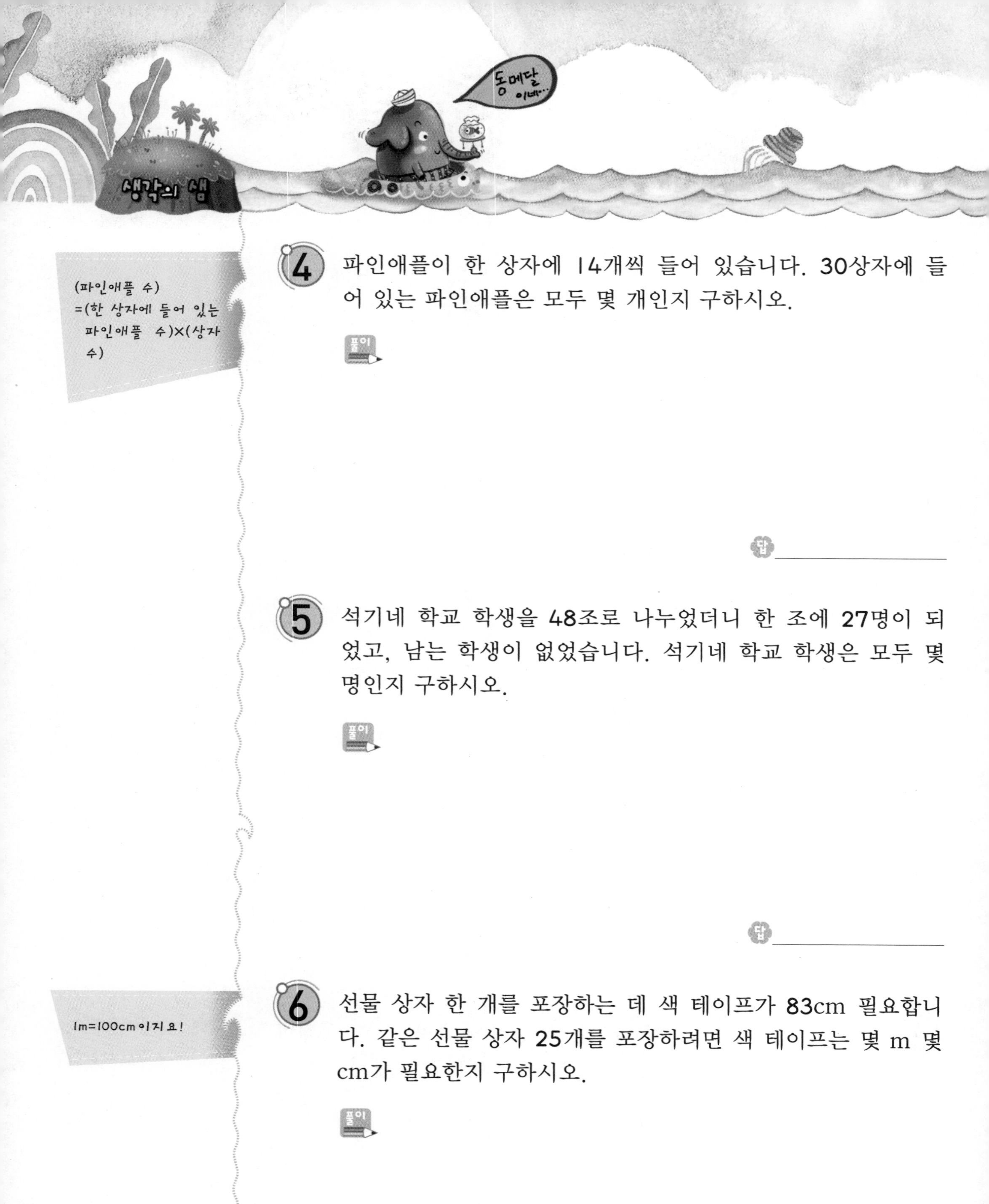

(파인애플 수)
=(한 상자에 들어 있는 파인애플 수)×(상자 수)

4 파인애플이 한 상자에 14개씩 들어 있습니다. 30상자에 들어 있는 파인애플은 모두 몇 개인지 구하시오.

풀이

답 ____________

5 석기네 학교 학생을 48조로 나누었더니 한 조에 27명이 되었고, 남는 학생이 없었습니다. 석기네 학교 학생은 모두 몇 명인지 구하시오.

풀이

답 ____________

1m=100cm이지요!

6 선물 상자 한 개를 포장하는 데 색 테이프가 83cm 필요합니다. 같은 선물 상자 25개를 포장하려면 색 테이프는 몇 m 몇 cm가 필요한지 구하시오.

풀이

답 ____________

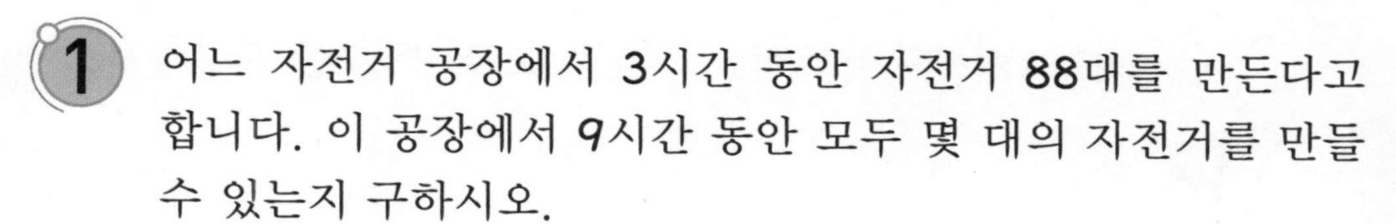

1 어느 자전거 공장에서 3시간 동안 자전거 88대를 만든다고 합니다. 이 공장에서 9시간 동안 모두 몇 대의 자전거를 만들 수 있는지 구하시오.

9시간은 3시간의 몇 배인지 알아봅니다.

답 ______________

2 □ 안에 들어갈 숫자는 모두 같습니다. □ 안에 알맞은 숫자를 구하시오.

같은 수를 곱해서 일의 자리의 숫자가 6이 되는 수를 생각합니다.

□□×□=176

답 ______________

3 다음 숫자 카드를 한 번씩만 사용하여 (세 자리 수)×(한 자리 수)의 곱셈식을 만들려고 합니다. 이 중에서 곱이 가장 큰 식을 쓰시오.

3, 5, 7, 9

답 ______________

먼저 한 상자에 들어 있는 배의 개수를 알아봅니다.

4 한 상자에 6봉지씩 들어 있는 배가 25상자 있습니다. 한 봉지에 배가 14개씩 들어 있다면, 배는 모두 몇 개인지 구하시오.

풀이

답 ______________

빵을 모두 몇 개 만드는 것인지 알아봅니다.

5 빵 한 개를 만드는 데 설탕 3스푼이 필요하다고 합니다. 빵을 1봉지에 20개씩 담아서 15봉지를 만들려면, 설탕은 모두 몇 스푼이 필요한지 구하시오.

풀이

답 ______________

기계 한 대가 한 시간 동안 만드는 장난감의 수를 먼저 알아봅니다.

6 장난감 공장에서 기계 한 대가 20분 동안 장난감을 7개씩 만든다고 합니다. 기계 6대가 한 시간 동안 만드는 장난감은 모두 몇 개인지 구하시오.

풀이

답 ______________

1 다음과 같이 약속할 때, (5☆4)☆8을 구하시오.

가☆나=(나×나)×가

풀이

답 ____________

5☆4를 먼저 계산하세요.

2 오른쪽 곱셈식에서 같은 모양은 같은 숫자를 나타냅니다. ●와 ★이 나타내는 숫자는 각각 무엇인지 구하시오. (단, ●>★입니다.)

```
   ●★
×  ★●
──────
 3478
```

풀이

답 ____________

●×★의 일의 자리의 숫자가 8이 되는 수를 알아봅니다.

3 가영이는 1주일 동안 매일 전날의 2배만큼 종이학을 만들려고 합니다. 첫째 날 3마리를 만들었다면, 마지막 날 가영이가 만들 종이학은 몇 마리인지 구하시오.

풀이

답 ____________

(둘째 날 만들 종이학 수)
=(첫째 날 만든 종이학 수)×2
(셋째 날 만들 종이학 수)
=(둘째 날 만들 종이학 수)×2
⋮

3 나눗셈식 세워 해결하기

탐구 문제

동민이는 시험지 85장을 7묶음으로 똑같이 나누려고 합니다. 한 묶음은 몇 장이 되고, 남는 것은 몇 장인지 구하시오.

풀이

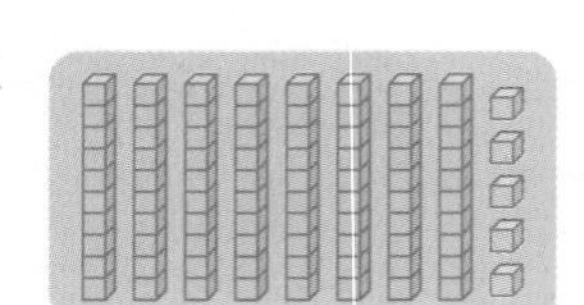

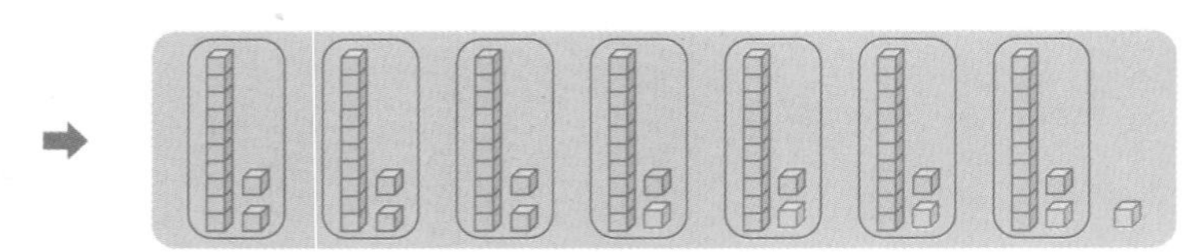

십 모형 8개를 7묶음으로 나누면 한 묶음에는 십 모형이 1개씩 들어가고, 십 모형 1개가 남습니다. 남은 십 모형 1개와 낱개 모형 5개는 낱개 모형 10+5=15(개)이므로 각 묶음당 2개씩 들어가고 1개가 남습니다. 나눗셈식으로 나타내면, 85÷7=12…1이므로 한 묶음은 12장이 되고, 남는 것은 1장입니다.

꼼꼼 돌다리

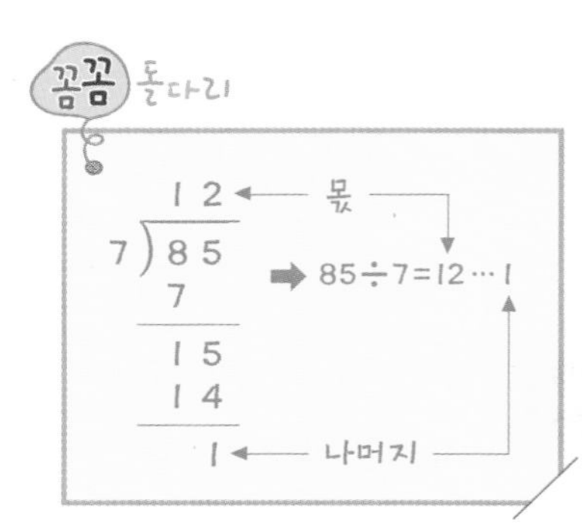

Check Point

시험지 □장을 △묶음으로 똑같이 나눌 때, 한 묶음은 □÷△와 같이 나눗셈식으로 나타내어 구합니다.

확인 문제

종이학을 각각 15마리씩 접는 데 가영이는 3분이 걸리고, 한초는 5분이 걸린다고 합니다. 가영이와 한초가 1분 동안 접는 종이학은 각각 몇 마리씩인지 구하시오.

1 가영이는 1분 동안 종이학을 몇 마리 접는지 식을 세워 구하시오.

(　　　　　　　　　　　　　　　　　)

2 한초는 1분 동안 종이학을 몇 마리 접는지 식을 세워 구하시오.

(　　　　　　　　　　　　　　　　　)

가영이와 한초가 1분 동안 접을 수 있는 종이학의 수를 구하려면 나눗셈식을 세워야 하겠네요.

생각의 샘

1 동화책 42권을 책꽂이에 꽂아 정리하려고 합니다. 책꽂이 한 칸에 동화책을 7권씩 꽂으려면, 책꽂이는 몇 칸이 필요한지 구하시오.

> (필요한 책꽂이의 칸 수)
> =(동화책 수)
> ÷(한 칸에 꽂을 수 있는 동화책 수)

풀이

답 ______________

2 목장에 말들이 있습니다. 말의 다리를 세어 보니 모두 36개였습니다. 말은 모두 몇 마리인지 구하시오.

> 말 한 마리의 다리 수는 4개이지요.

풀이

답 ______________

3 지혜네 반 학생은 30명입니다. 한 모둠을 6명씩으로 만든다면, 지혜네 반은 몇 모둠이 되는지 구하시오.

답 ______________

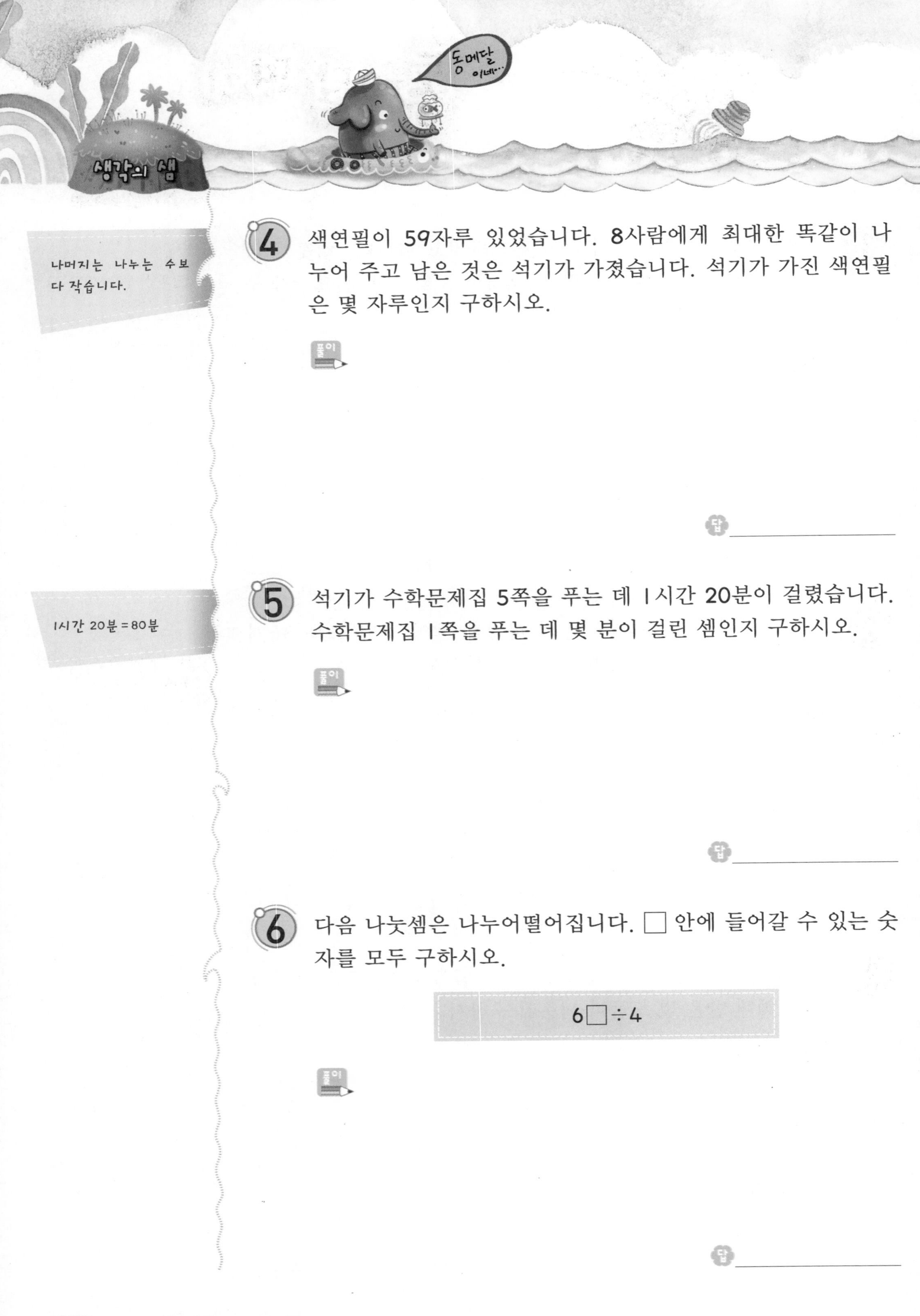

나머지는 나누는 수보다 작습니다.

4 색연필이 59자루 있었습니다. 8사람에게 최대한 똑같이 나누어 주고 남은 것은 석기가 가졌습니다. 석기가 가진 색연필은 몇 자루인지 구하시오.

풀이

답 ______________

1시간 20분 = 80분

5 석기가 수학문제집 5쪽을 푸는 데 1시간 20분이 걸렸습니다. 수학문제집 1쪽을 푸는 데 몇 분이 걸린 셈인지 구하시오.

풀이

답 ______________

6 다음 나눗셈은 나누어떨어집니다. □ 안에 들어갈 수 있는 숫자를 모두 구하시오.

6□÷4

풀이

답 ______________

실력 다지기

생각의 샘

1 미술 시간에 지혜는 72cm인 철사를 똑같이 8도막으로, 한별이는 91cm인 철사를 똑같이 7도막으로 잘랐습니다. 지혜와 한별이가 자른 철사 한 도막의 길이는 각각 cm인지 구하시오.

풀이

답 ____________________

2 예슬이는 매일 똑같은 쪽수로 동화책 42쪽을 읽는 데 1주일이 걸렸습니다. 같은 빠르기로 동화책 96쪽을 읽으려면 며칠이 걸리는지 구하시오.

예슬이가 하루에 몇 쪽씩 읽은 것인지 알아봅니다.

풀이

답 ____________________

3 72를 6으로 나눈 몫을 ㉠, 27을 9로 나눈 몫을 ㉡이라고 할 때, ㉠을 ㉡으로 나눈 몫을 구하시오.

풀이

답 ____________________

다람쥐 1마리가 하루에 먹는 도토리의 수를 구해 봅니다.

4 다람쥐 3마리가 하루에 도토리를 9개 먹습니다. 모든 다람쥐가 매일 똑같은 개수의 도토리를 먹는다면 다람쥐 7마리가 도토리 84개를 먹는 데에는 며칠이 걸리는지 구하시오.

답 ______________

몫이 가장 작으려면 가장 작은 수를 가장 큰 수로 나누어야 합니다.

5 숫자 카드 [7], [5], [3] 중에서 2장을 뽑아 두 자리 수를 만들고, 그 수를 남은 숫자 카드의 수로 나눌 때, 몫이 가장 작은 경우의 나눗셈식을 만드시오.

답 ______________

0은 십의 자리에 올 수 없습니다.

6 다음과 같은 4장의 숫자 카드 중에서 2장의 숫자 카드로 두 자리 수를 만들 때, 그 중에서 5로 나누어떨어지는 수는 모두 몇 개인지 구하시오.

[0], [2], [5], [7]

풀이

답 ______________

1

한초는 연필 8다스를 사서 은주, 규형이와 똑같이 나누어 가진 후, 가지고 있는 연필의 반을 동생에게 주었습니다. 동생에게 준 연필은 몇 자루인지 구하시오.

연필이 모두 몇 자루인지 알아봅니다.

풀이

답 ____________

2

동민이는 길이가 72cm인 철사를 모두 사용하여 같은 크기의 정사각형 모양 3개를 만들었습니다. 만들어진 정사각형의 한 변의 길이는 몇 cm인지 구하시오.

정사각형은 네 변의 길이가 같지요.

풀이

답 ____________

3

숫자 카드 4, 2, 8 중에서 2장을 뽑아 두 자리 수를 만들고, 그 수를 남은 숫자 카드의 수로 나누었습니다. 이 때, 나누어떨어지는 나눗셈은 모두 몇 가지인지 구하시오.

나누어떨어진다는 것은 나머지가 0이라는 것이지요.

풀이

답 ____________

4 혼합 계산식 세워 해결하기

탐구 문제

석기는 우표를 48장 모았습니다. 한초는 석기가 모은 우표의 4배보다 19장 적게 모았습니다. 두 사람이 모은 우표는 모두 몇 장인지 구하시오.

풀이 석기가 모은 우표와 한초가 모은 우표를 수 모형으로 나타내면 다음과 같습니다.

석기 한초

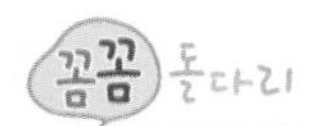

석기가 모은 우표의 4배는 $48 \times 4 = 192$(장)이고, 한초가 모은 우표는 이보다 19장 적으므로 $192 - 19 = 173$(장)입니다. 한초가 모은 우표의 수를 하나의 식으로 나타내면 $48 \times 4 - 19 = 173$(장)입니다.
따라서, 두 사람이 모은 우표는 모두 $48 + (48 \times 4 - 19) = 221$(장)입니다.

꼼꼼 돋다리
곱셈과 덧셈, 곱셈과 뺄셈이 혼합되어 있을 때, 곱셈부터 먼저 계산합니다.

Check Point

• 문제의 조건에 맞도록 혼합계산식을 세워 답을 구합니다.

확인 문제

지하철에 835명이 타고 있었습니다. 이번 역에서 379명이 내리고, 184명이 탔습니다. 지금 지하철에 타고 있는 사람은 몇 명인지 구하시오.

1 처음에 지하철에는 몇 명이 타고 있었습니까?

( )

2 이번 역에서 379명이 내리면 지하철에는 몇 명이 남는지 식을 세워 구하시오.

( )

내린 사람은 빼고, 타는 사람은 더하여 구하는 것이지요!

3 지금 지하철에 타고 있는 사람은 몇 명인지 하나의 식을 세워 구하시오.

( )

동메달 따기

생각의 샘

1 다음 세 수 중에서 가장 큰 수와 가장 작은 수를 더하고, 그 합에서 남은 수를 빼면 얼마인지 구하시오.

5629, 3217, 3796

가장 큰 수와 가장 작은 수를 찾습니다.

답 ________

2 축구장에 어린이가 1786명, 어른이 6245명 있습니다. 이 중에 여자가 1898명이라면 남자는 모두 몇 명인지 구하시오.

축구장에 모인 전체 인원은 어린이와 어른을 더한 수입니다.

답 ________

3 딸기를 한 상자에 54개씩 넣었더니 27상자가 되고, 23개 남았습니다. 딸기는 모두 몇 개인지 구하시오.

답 ________

가영이가 산 도화지 값은?
➡ (35×64)원

4 가영이는 문방구점에서 한 장에 35원 하는 도화지 64장을 사고 3000원을 냈습니다. 거스름돈으로 얼마를 받으면 되는지 구하시오.

답 ____________

배 전체의 수를 사람 수로 나누면 한 사람이 갖는 배의 수를 알 수 있습니다.

5 한 상자에 배가 14개씩 들어 있는 상자가 6상자 있습니다. 이 배를 4사람에게 똑같이 나누어 주면 한 사람은 배를 몇 개씩 가지게 되는지 구하시오.

답 ____________

한초와 가영이가 1분에 접을 수 있는 종이 배는?
➡ (3+4)개

6 종이배를 1분 동안 한초는 3개, 가영이는 4개 접을 수 있습니다. 한초와 가영이가 함께 91개의 종이배를 접으려면 몇 분이 걸리겠는지 구하시오.

답 ____________

은메달 따기

생각의 샘

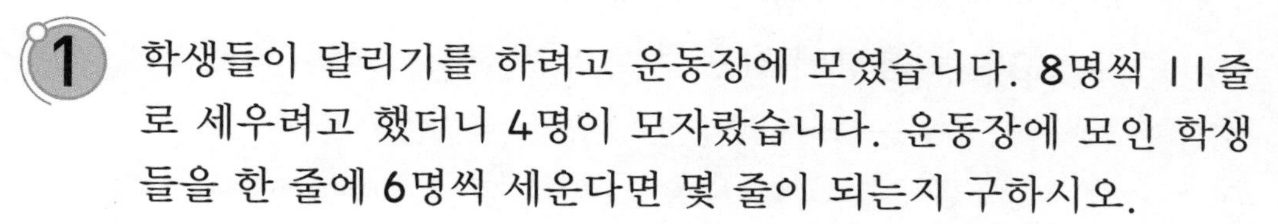

1 학생들이 달리기를 하려고 운동장에 모였습니다. 8명씩 11줄로 세우려고 했더니 4명이 모자랐습니다. 운동장에 모인 학생들을 한 줄에 6명씩 세운다면 몇 줄이 되는지 구하시오.

답 ____________________

2 예슬이네 반 학생은 33명입니다. 3명씩 세 개의 조를 짜고, 나머지는 한 조에 4명씩 짜서 화단 청소를 하려고 합니다. 예슬이네 반 학생은 모두 몇 개의 조가 되어 청소를 하게 되는지 구하시오.

> 3명씩 3개 조로 짜고 남은 학생은 몇 명인지 알아보세요.

답 ____________________

3 어떤 수를 9로 나눌 것을 잘못하여 6으로 나누었더니 몫이 24이고 5가 남았습니다. 바르게 계산하면 몫과 나머지는 각각 얼마인지 구하시오.

> (어떤 수)÷6=24 … 5

풀이

답 ____________________

5일에 남은 돈은 전날의 통장 잔액과 5일에 예금한 돈을 포함한 금액입니다.

4 다음은 웅이가 은행에 예금한 돈과 찾은 돈을 나타낸 표입니다. 30일에 통장에 남은 돈은 얼마인지 구하시오.

날짜	예금한 돈	찾은 돈	남은 돈
5일	2300원	·	7360원
15일	·	3850원	
25일	4800원	·	
30일	·	1650원	?

답 ____________

한별이와 동생이 먹고 남은 사탕은 몇 개인지 알아봅니다.

5 한별이와 동생이 사탕 40개를 나누어 가진 뒤, 한별이는 11개, 동생은 7개의 사탕을 먹었더니 두 사람의 남은 사탕의 개수가 같아졌습니다. 한별이가 처음에 가졌던 사탕은 몇 개인지 구하시오.

답 ____________

먼저 8★5를 계산합니다.

6 ㉠★㉡=(㉠−㉡)×(㉠+㉡)을 나타냅니다.
예를 들면, 5★3=(5−3)×(5+3)=2×8=16입니다.
(8★5)★24를 계산하면 얼마인지 구하시오.

답 ____________

1 연필 5다스와 8자루가 있습니다. 몇 명의 학생들이 나누어 가졌더니 학생마다 9자루씩 가지고 5자루가 남았습니다. 연필을 나누어 가진 학생은 몇 명인지 구하시오.

> 연필 1다스는 12자루이지요. 연필은 모두 몇 자루인지 알아봅니다.

풀이

답 ____________

2 직사각형의 색 테이프 5장을 그림과 같이 겹쳐서 이었습니다. 이은 색 테이프의 길이는 모두 몇 mm인지 구하시오.

> 겹쳐지는 부분이 몇 군데인지 알아봅니다.

23 cm 7 mm　23 cm 7 mm　…
22 mm　22 mm

풀이

답 ____________

3 한초의 아버지는 한초에게 매달 용돈을 전달보다 100원씩 더 주기로 하였습니다. 한초가 1월에 2000원을 받았다면, 그 해 12월까지 받은 용돈은 모두 얼마인지 구하시오.

> (2월에 받는 용돈)
> =(1월에 받는 용돈)+100
> (3월에 받는 용돈)
> =(2월에 받는 용돈)+100

풀이

답 ____________

5 합과 차를 이용하여 해결하기

탐구 문제

집에서 도서관을 지나 학교까지의 거리는 90m입니다. 집에서 도서관까지의 거리가 도서관에서 학교까지의 거리보다 22m 더 짧다면, 집에서 도서관까지의 거리는 몇 m인지 구하시오.

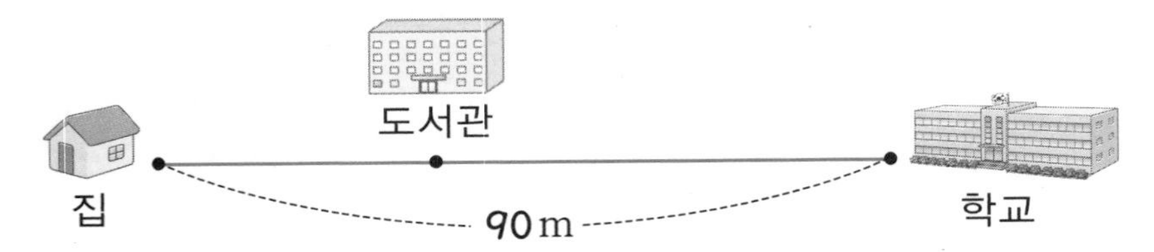

풀이 집에서 도서관까지의 거리와 도서관에서 학교까지의 거리를 각각 선분으로 나타내어 보면,

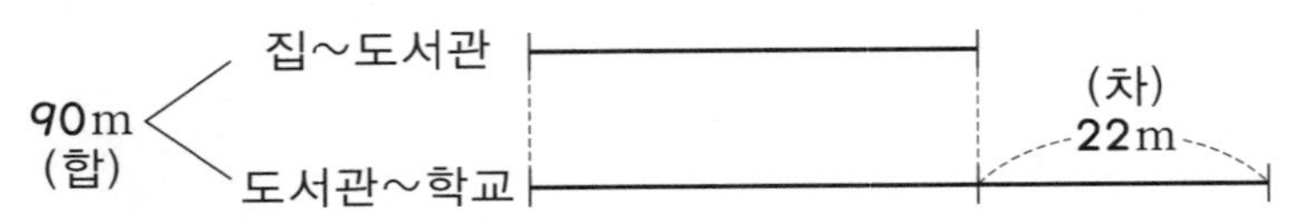

따라서, 집에서 도서관까지의 거리는 $(90-22)\div2=34$(m)입니다.

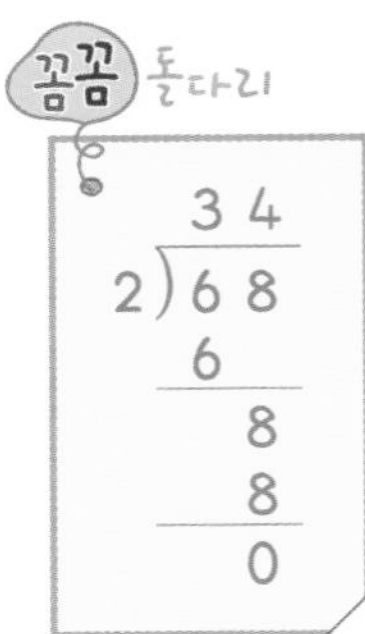

$$68 \div 2 = 34$$

Check Point

두 수의 합과 차가 주어졌을 때,
(작은 수)=(합−차)÷2, (큰 수)=(합+차)÷2

확인 문제

한초네 반과 석기네 반의 학급 문고의 책은 모두 107권입니다. 석기네 반의 책이 한초네 반의 책보다 13권 더 많다면, 석기네 반의 학급 문고의 책은 몇 권인지 구하시오.

1 한초네 반과 석기네 반의 학급 문고의 책을 각각 선분으로 나타내어 보려고 합니다. □ 안에 알맞은 수를 써 넣으시오.

석기네 반의 책이 더 많아요.

2 두 수의 합과 차의 관계를 이용하여 석기네 반의 학급 문고의 책은 몇 권인지 구하시오.

(　　　　　)

동메달 따기

생각의 샘

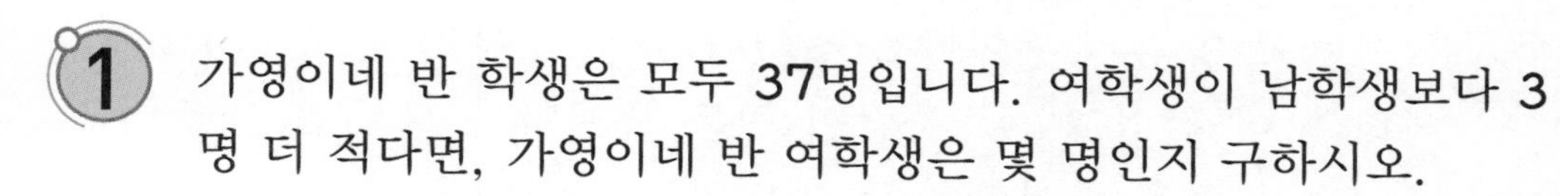

1 가영이네 반 학생은 모두 37명입니다. 여학생이 남학생보다 3명 더 적다면, 가영이네 반 여학생은 몇 명인지 구하시오.

> (남학생 수)+(여학생 수)=37
> (남학생 수)−(여학생 수)=3

풀이

답 ____________

2 규형이가 78쪽짜리 책 한 권을 어제와 오늘 이틀 동안 모두 읽었습니다. 어제 읽은 쪽수가 오늘 읽은 쪽수보다 12쪽 더 많다면, 규형이가 어제 읽은 쪽수는 몇 쪽인지 구하시오.

> 어제 읽은 쪽수와 오늘 읽은 쪽수의 차가 12쪽입니다.

풀이

답 ____________

3 지혜와 언니의 나이의 합은 22살입니다. 지혜의 나이가 언니의 나이보다 2살 더 적다면, 지혜와 언니는 각각 몇 살인지 구하시오.

풀이

답 ____________

접은 종이학 수의 차는?
➡ 6마리

4 한초와 영수는 종이학을 접었습니다. 영수가 한초보다 6마리 더 많이 접었고, 두 사람이 접은 종이학이 모두 50마리라면, 영수가 접은 종이학은 몇 마리인지 구하시오.

답 ____________

5 구슬 36개를 한별이와 동생이 나누어 가졌습니다. 한별이가 동생보다 구슬을 10개 더 많이 가졌다면, 동생은 구슬을 몇 개 가졌는지 구하시오.

답 ____________

30 cm

30cm짜리 자가 두 조각으로 부러졌습니다. 부러진 두 조각의 길이의 차가 2cm일 때, 두 조각 중 긴 조각의 길이는 몇 cm인지 구하시오.

답 ____________

1 연속하는 두 자연수의 합이 89입니다. 두 자연수를 구하시오.

풀이

답 ______

> 연속하는 두 자연수의 차는 1입니다.

2 낮이 밤보다 2시간 더 긴 날은 낮이 몇 시간인지 구하시오.

풀이

답 ______

> 하루는 24시간입니다.

3 멜론 3통을 한 상자에 담아 팔고 있습니다. 어제와 오늘 모두 5상자의 멜론을 팔았고, 오늘 판 상자가 어제 판 상자보다 1상자 더 많습니다. 오늘 판 멜론은 모두 몇 통인지 구하시오.

풀이

답 ______

10원짜리 동전 ■개
➡ (10×■)원

4 영수와 가영이가 합하여 10원짜리 동전 85개를 모았습니다. 영수가 가영이보다 동전을 15개 더 많이 모았다면, 영수가 모은 돈은 얼마인지 구하시오.

답 ______________

5 한 봉지에 6개씩 들어 있는 초콜릿 12봉지를 석기와 한초가 나누어 가지려고 합니다. 한초가 석기보다 8개 더 적게 가지면, 한초가 갖는 초콜릿은 몇 개인지 구하시오.

답 ______________

연필 1다스는 12자루입니다.

6 연필 5다스를 율기와 지혜가 나누어 가지려고 합니다. 지혜가 율기보다 10자루 더 적게 가지면, 율기가 갖는 연필은 몇 자루인지 구하시오.

답 ______________

1 저금통에 50원짜리와 100원짜리 동전이 합하여 25개 들어 있고, 50원짜리가 100원짜리보다 7개 더 많이 들어 있습니다. 이 저금통에 들어 있는 돈은 모두 얼마인지 구하시오.

50원짜리 ●개
➡ (50×●)원
100원짜리 ★개
➡ (100×★)원

풀이

답 ______________

2 동민이는 꽃가게에서 장미와 국화를 합하여 8송이 사려고 합니다. 장미 한 송이는 300원, 국화 한 송이는 200원이고, 장미를 국화보다 2송이 더 많이 사려고 한다면, 동민이가 내야 할 돈은 모두 얼마인지 구하시오.

장미 ■송이의 값
➡ (300×■)원
국화 ▲송이의 값
➡ (200×▲)원

풀이

답 ______________

3 ㉮ 기계와 ㉯ 기계에서 각각 장난감을 만들고 있습니다. 두 기계가 한 시간에 만드는 장난감은 모두 9개이고, ㉯ 기계는 ㉮ 기계보다 한 시간에 장난감을 3개 더 많이 만듭니다. 두 기계에서 만든 장난감이 모두 63개라면, ㉮ 기계에서 만들어 낸 장난감은 몇 개인지 구하시오.

1시간에 ★개
➡ ●시간에 (★×●)개

풀이

답 ______________

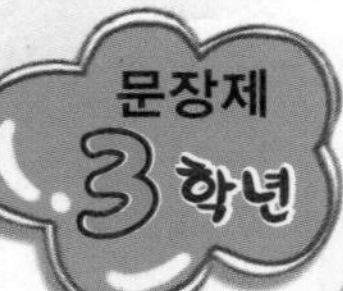

6 거꾸로 생각하여 해결하기

탐구 문제

어떤 수에 6을 곱한 뒤, 7을 더한 수가 43입니다. 어떤 수를 구하시오.

풀이 문제를 그림으로 나타내면 다음과 같습니다.

㉮	×6 → / ← ÷6	㉯	+7 → / ← −7	43

㉯에 들어갈 수는 $43-7=36$, ㉮에 들어갈 수는 $36\div6=6$ 입니다.

따라서, 어떤 수는 6입니다.

꼼꼼 돌다리

덧셈은 뺄셈으로, 곱셈은 나눗셈으로 거꾸로 계산하여 해결합니다.

Check Point

주어진 결과로부터 거꾸로 계산하여 해결합니다.

확인 문제

선생님께서 연필을 나누어 주셨습니다. 가영이에게 5자루를 주고, 예슬이에게 8자루를 주었더니 2자루가 남았다면, 선생님께서 처음에 가지고 계셨던 연필은 몇 자루인지 구하시오.

1 문제를 다음과 같이 그림으로 나타내려고 합니다. 빈 칸에 알맞은 수를 써 넣으시오.

□	−□ → / ← +5	□	−8 → / ← +□	2

뺄셈을 거꾸로 하면 덧셈, 덧셈을 거꾸로 하면 뺄셈

2 선생님께서 처음에 가지고 계셨던 연필은 몇 자루입니까?

( )

동메달 따기

생각의 샘

1 어떤 수에 3을 곱한 뒤, 4를 더한 수가 79입니다. 어떤 수를 구하시오.

> 곱셈을 거꾸로 하면 나눗셈, 덧셈을 거꾸로 하면 뺄셈입니다.

풀이

답 ____________

2 어떤 수에서 12를 뺀 뒤, 6으로 나눈 수가 5입니다. 어떤 수를 구하시오.

> 주어진 결과로부터 거꾸로 계산하여 해결합니다.

풀이

답 ____________

3 어떤 수를 9로 나눈 뒤, 5를 더한 수가 14입니다. 어떤 수를 구하시오.

풀이

답 ____________

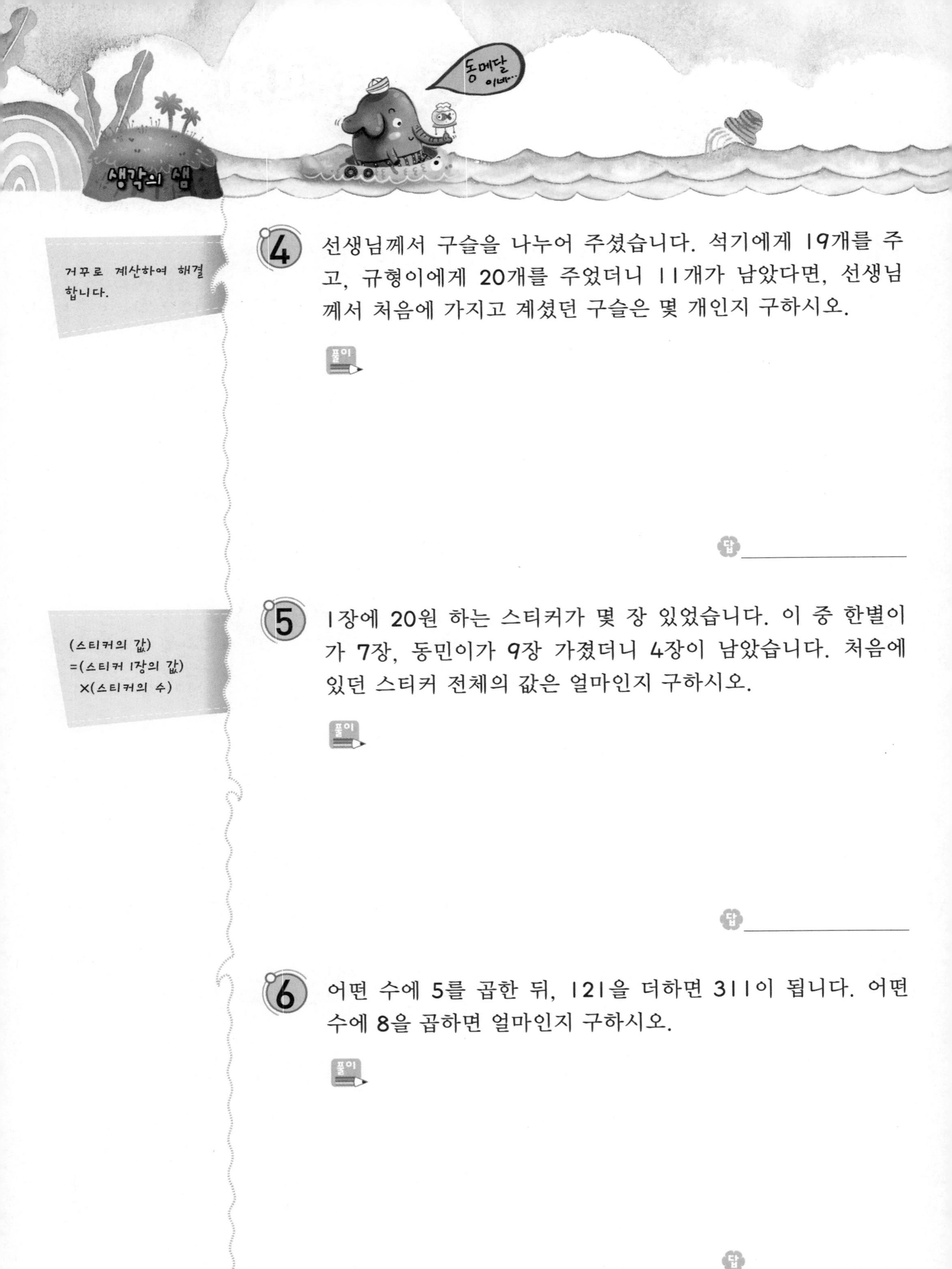

거꾸로 계산하여 해결합니다.

4 선생님께서 구슬을 나누어 주셨습니다. 석기에게 19개를 주고, 규형이에게 20개를 주었더니 11개가 남았다면, 선생님께서 처음에 가지고 계셨던 구슬은 몇 개인지 구하시오.

풀이

답

(스티커의 값)
=(스티커 1장의 값)
×(스티커의 수)

5 1장에 20원 하는 스티커가 몇 장 있었습니다. 이 중 한별이가 7장, 동민이가 9장 가졌더니 4장이 남았습니다. 처음에 있던 스티커 전체의 값은 얼마인지 구하시오.

풀이

답

6 어떤 수에 5를 곱한 뒤, 121을 더하면 311이 됩니다. 어떤 수에 8을 곱하면 얼마인지 구하시오.

풀이

답

생각의 샘

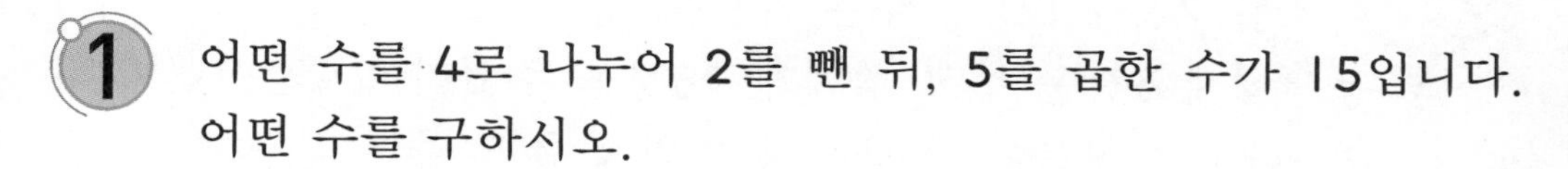

1 어떤 수를 4로 나누어 2를 뺀 뒤, 5를 곱한 수가 15입니다. 어떤 수를 구하시오.

> 거꾸로 생각해 봅니다.

풀이

답 ____________

2 영수가 수학 공부를 1시간 하고 10분을 쉰 뒤, 다시 영어 공부를 1시간 30분 동안 하였더니, 오후 5시가 되었습니다. 영수가 공부를 시작한 시각은 몇 시 몇 분인지 구하시오.

> 시간의 뺄셈을 이용합니다.

풀이

답 ____________

3 석기는 어머니께 받은 용돈을 가지고 문방구점에 가서 350원짜리 연필 2자루를 사고, 500원짜리 공책 3권을 샀더니 1300원이 남았습니다. 석기가 어머니께 받은 용돈은 얼마인지 구하시오.

> (연필 2자루의 값)
> ➡ (연필 1자루의 값)×2
> (공책 3권의 값)
> ➡ (공책 1권의 값)×3

풀이

답 ____________

2장에 80원
➡ 1장에 (80÷2)원

4 한초는 2장에 80원 하는 색지를 몇 장 샀습니다. 이 중에서 동생에게 6장을 주고 형에게 15장을 주었더니 9장이 남았다면, 한초가 처음에 산 색지 전체의 값은 얼마인지 구하시오.

답 ____________

5 한초는 가지고 있던 구슬 중 7개를 석기에게 주고, 석기도 가지고 있던 구슬 중 3개를 한초에게 주었더니 한초는 19개, 석기는 16개의 구슬을 갖게 되었습니다. 처음에 한초와 석기가 가지고 있던 구슬은 각각 몇 개인지 구하시오.

답 ____________

율기가 가영이에게 주고 남은 스티커를 ①로 생각하면, 더 산 스티커의 수는 ⑤입니다.

6 율기는 가지고 있던 스티커 중 3장을 가영이에게 준 뒤, 남은 스티커의 5배만큼을 더 샀더니 42장이 되었습니다. 율기가 처음에 가지고 있던 스티커는 몇 장인지 구하시오.

풀이

답 ____________

1 상연이는 초콜릿을 사서 반을 동생에게 주고, 나머지의 반을 웅이에게 주었더니 10개가 남았습니다. 상연이가 처음에 산 초콜릿은 몇 개인지 구하시오.

남은 10개의 초콜릿은 처음 산 초콜릿의 $\frac{1}{4}$입니다.

풀이

답 ____________

2 동민이는 가지고 있던 돈의 반으로 학용품을 사고, 그 나머지 돈의 반보다 400원 많은 돈을 저축하였더니 100원이 남았습니다. 동민이가 처음에 가지고 있던 돈은 얼마인지 구하시오.

풀이

답 ____________

3 예슬이는 가지고 있던 사탕의 반을 효근이에게 주고, 나머지의 반보다 3개 적은 사탕을 동생에게 주었더니 8개가 남았습니다. 예슬이가 처음에 가지고 있던 사탕은 몇 개인지 구하시오.

주어진 결과로부터 거꾸로 계산하여 해결합니다.

풀이

답 ____________

7 한쪽을 지워서 해결하기

탐구 문제

연필 5자루와 지우개 2개는 1600원이고, 같은 연필 3자루와 지우개 2개는 1200원입니다. 연필 1자루의 값을 구하시오.

풀이 연필 5자루와 지우개 2개는 연필 3자루와 지우개 2개와의 관계에서 지우개의 수는 차이가 없으나 연필 수는 2자루만큼의 차이가 납니다.
이 때문에 총 가격의 차이는 1600－1200＝400(원)이 되었습니다.
따라서, 연필 2자루의 값은 400원이고, 연필 1자루의 값은 200원입니다.

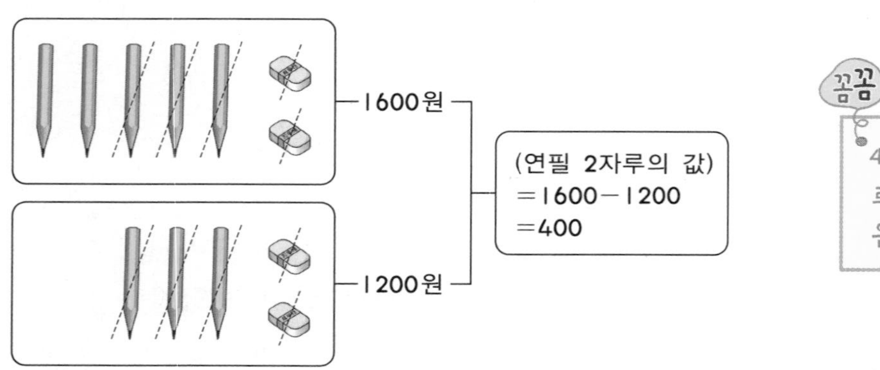

꼼꼼 돌다리
400=200+200이므로 연필 1자루의 값은 200원입니다.

Check Point
같은 부분끼리 서로 없앤 뒤, 나머지끼리의 차를 이용하여 해결합니다.

확인 문제

당근 2개와 오이 1개는 1100원이고, 같은 당근 2개와 오이 4개는 2000원입니다. 오이 1개의 값을 구하시오.

1 당근 2개와 오이 1개는 당근 2개와 오이 4개와의 관계에서 어떤 차이가 있습니까?

( )

2 오이 1개의 값을 구하시오.

( )

(오이 1개의 값)
=(오이 ■개의 값)
÷■

1 음악 공책 3권과 영어 공책 3권의 값은 2700원이고, 같은 음악 공책 2권과 영어 공책 3권의 값은 2200원입니다. 음악 공책 1권의 값은 얼마인지 구하시오.

음악 공책 1권만큼의 차이가 납니다.

풀이

답 ____________

2 공책 3권과 연필 2자루의 값은 1600원, 같은 공책 4권과 연필 2자루의 값은 2000원입니다. 공책 1권의 값은 얼마인지 구하시오.

풀이

답 ____________

3 구슬 3개와 주사위 5개의 값은 1050원이고, 같은 구슬 3개와 주사위 7개의 값은 1350원입니다. 주사위 2개의 값은 얼마인지 구하시오.

같은 부분끼리 서로 없앱니다.

풀이

답 ____________

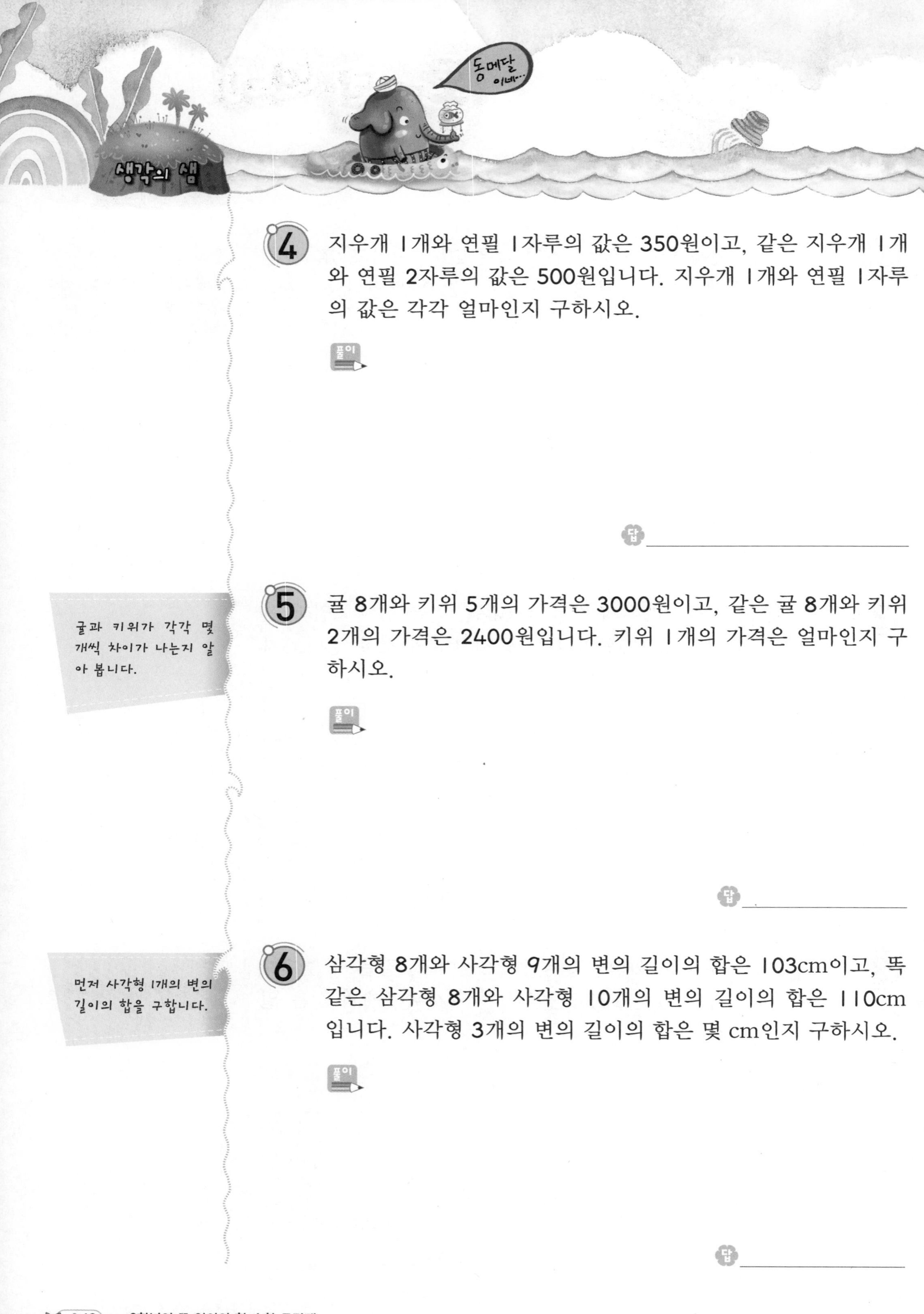

4 지우개 1개와 연필 1자루의 값은 350원이고, 같은 지우개 1개와 연필 2자루의 값은 500원입니다. 지우개 1개와 연필 1자루의 값은 각각 얼마인지 구하시오.

풀이

답 ____________________

굴과 키위가 각각 몇 개씩 차이가 나는지 알아 봅니다.

5 귤 8개와 키위 5개의 가격은 3000원이고, 같은 귤 8개와 키위 2개의 가격은 2400원입니다. 키위 1개의 가격은 얼마인지 구하시오.

풀이

답 ____________________

먼저 사각형 1개의 변의 길이의 합을 구합니다.

6 삼각형 8개와 사각형 9개의 변의 길이의 합은 103cm이고, 똑같은 삼각형 8개와 사각형 10개의 변의 길이의 합은 110cm입니다. 사각형 3개의 변의 길이의 합은 몇 cm인지 구하시오.

풀이

답 ____________________

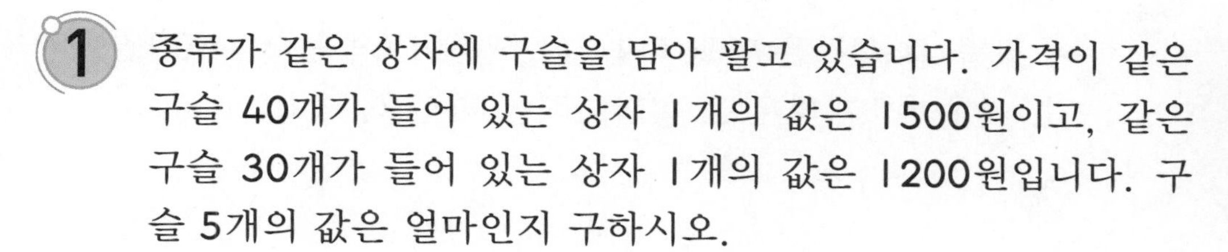

1 종류가 같은 상자에 구슬을 담아 팔고 있습니다. 가격이 같은 구슬 40개가 들어 있는 상자 1개의 값은 1500원이고, 같은 구슬 30개가 들어 있는 상자 1개의 값은 1200원입니다. 구슬 5개의 값은 얼마인지 구하시오.

> 두 상자에 들어 있는 구슬 수는 10개만큼의 차이가 납니다.

풀이

답 ____________

2 종류가 같은 상자에 사탕을 담아 팔고 있습니다. 사탕 8개가 들어 있는 상자의 값은 2200원, 같은 사탕 16개가 들어 있는 상자의 값은 3400원입니다. 상자만의 값은 얼마인지 구하시오.

> (사탕을 담은 상자의 가격)
> =(사탕의 가격)
> +(상자의 가격)

풀이

답 ____________

3 종류가 같은 빈 통에 기름을 담아 팔고 있습니다. 기름 2L를 담은 통은 8000원이고, 같은 기름 3L를 담은 통은 9500원입니다. 빈 통의 가격은 얼마인지 구하시오.

> (기름 2L의 가격)
> =(기름 1L의 가격)
> +(기름 1L의 가격)

풀이

답 ____________

(지우개 ■개의 값)÷■
=(지우개 1개의 값)

4 가영이는 지우개 5개와 연필 4자루, 색종이 4묶음을 1900원에 샀습니다. 같은 연필 4자루와 색종이 4묶음이 1400원이라면, 지우개 1개의 값은 얼마인지 구하시오.

풀이

답 ______________

1m는 100cm입니다.

5 장난감 안경 3개와 장난감 자전거 2개를 만드는 데 철사가 3m 90cm 필요하고, 같은 장난감 안경 3개와 장난감 자전거 1개를 만드는 데 철사가 2m 70cm 필요합니다. 장난감 안경 1개를 만드는 데 필요한 철사는 몇 cm인지 구하시오.

답 ______________

6 우유 4통과 주스 3통의 들이의 합은 2L 300mL이고, 우유 2통과 주스 3통의 들이의 합은 1L 900mL 입니다. 우유 6통의 들이의 합은 몇 L 몇 mL인지 구하시오.

풀이

답 ______________

1 어느 박물관의 어른 2명과 어린이 1명의 입장료는 4000원이고, 어른 4명과 어린이 3명의 입장료는 9000원입니다. 어린이 1명의 입장료는 얼마인지 구하시오.

어른 2명과 어린이 1명의 입장료를 2배 하면 어른 4명과 어린이 2명의 입장료가 됩니다.

풀이

답 ____________

2 작은 물통 3개와 큰 물통 2개의 들이의 합은 17L 500mL이고, 같은 작은 물통 4개와 큰 물통 4개의 들이의 합은 30L입니다. 작은 물통 1개의 들이는 몇 L 몇 mL인지 구하시오.

풀이

답 ____________

3 길이가 각각 같은 빨간색 끈 3개와 파란색 끈 2개를 6cm씩 겹치게 연결하면 63cm가 되고, 같은 빨간색 끈 2개와 파란색 끈 2개를 4cm씩 겹치게 연결하면 62cm가 됩니다. 빨간색 끈 1개의 길이는 몇 cm인지 구하시오.

겹치는 부분 없이 연결했을 때의 길이를 생각해 봅니다.

풀이

답 ____________

8 바둑돌 늘어놓기 유형 해결하기

탐구 문제

바둑돌을 한 변에 6개씩 빈틈없이 늘어놓아 정사각형을 만들었습니다. 둘레에 놓인 바둑돌의 개수를 구하시오.

풀이 오른쪽 그림과 같이 둘레에 놓인 바둑돌을 4등분 하여 생각합니다.
따라서, 둘레에 놓인 바둑돌의 개수는
$(6-1)\times4=20$(개)입니다.

꼼꼼 돌다리
한 묶음 안에 들어 있는 바둑돌은 한 변에 놓인 바둑돌보다 1개 더 적어요.
➡ $6-1=5$(개)

Check Point

- 정사각형으로 늘어놓을 때
  (둘레의 개수)$=\{$(한 변의 개수)$-1\}\times4$
  (한 변의 개수)$=\{$(둘레의 개수)$\div4\}+1$
- 직사각형으로 늘어놓을 때
  (둘레의 개수)
  $=\{$(가로의 개수)$+$(세로의 개수)$-2\}\times2$

확인 문제

크기가 같은 구슬을 가로와 세로 모두 9개씩 빈틈없이 늘어놓아 정사각형을 만들었습니다. 둘레에 놓인 구슬의 개수를 구하시오.

1 정사각형의 한 변에 놓인 구슬은 몇 개입니까?

(　　　　　　　)

2 둘레에 놓인 구슬을 똑같이 4등분 하여 생각할 때, 한 묶음에는 구슬이 몇 개인지 구하시오.

(　　　　　　　)

한 묶음에 똑같은 개수의 구슬이 들어 있도록 묶어 보세요.

3 둘레에 놓인 구슬의 개수를 구하시오.

(　　　　　　　)

생각의 샘

1 바둑돌을 한 변에 11개씩 빈틈없이 늘어놓아 정사각형을 만들었습니다. 둘레에 놓인 바둑돌의 개수는 몇 개인지 구하시오.

(정사각형의 둘레에 놓인 바둑돌의 개수)
={(한 변에 놓인 바둑돌의 개수)−1}×4

풀이

답 ______________

2 10원짜리 동전을 한 변에 15개씩 빈틈없이 늘어놓아 정사각형을 만들었습니다. 정사각형의 둘레에 놓인 동전은 몇 개인지 구하시오.

둘레에 놓인 동전을 똑같은 개수씩 4묶음으로 묶어 봅니다.

풀이

답 ______________

3 구슬을 가로와 세로에 놓인 개수가 같게 빈틈없이 늘어놓아 정사각형을 만들었습니다. 가로에 놓인 구슬의 개수가 23개일 때, 둘레에 놓인 구슬은 몇 개인지 구하시오.

풀이

답 ______________

(한 변에 놓인 바둑돌의 개수)
={(둘레에 놓인 바둑돌의 개수)÷4}+1

4 가로와 세로에 놓인 바둑돌의 개수가 같도록 빈틈없이 늘어놓아 정사각형을 만들었습니다. 둘레에 놓인 바둑돌의 개수가 48개일 때, 가장 바깥쪽의 한 변에 놓인 바둑돌은 몇 개인지 구하시오.

5 가로와 세로에 놓인 구슬의 개수가 같도록 구슬을 빈틈없이 늘어놓아 정사각형을 만들었습니다. 둘레에 놓인 구슬의 개수가 80개일 때, 가장 바깥쪽의 한 변에 놓인 구슬은 몇 개인지 구하시오.

답 ____________

직사각형으로 늘어놓을 때
(둘레의 개수)
={(가로의 개수)+(세로의 개수)−2}×2

6 바둑돌을 가로로 12개씩, 세로로 11개씩 빈틈없이 늘어놓아 직사각형을 만들었습니다. 둘레에 놓인 바둑돌은 몇 개인지 구하시오.

답 ____________

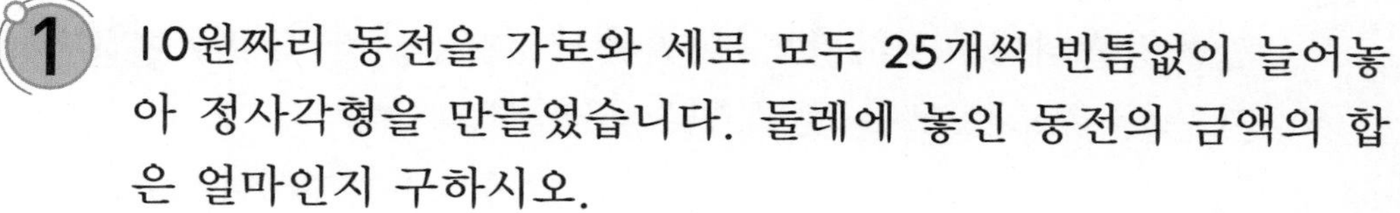

1 10원짜리 동전을 가로와 세로 모두 25개씩 빈틈없이 늘어놓아 정사각형을 만들었습니다. 둘레에 놓인 동전의 금액의 합은 얼마인지 구하시오.

> 둘레에 놓인 동전의 금액의 합은 10×(둘레에 놓인 동전의 개수)의 계산을 하여 구합니다.

풀이

답 ______________

2 50원짜리 동전을 가로와 세로 모두 17개씩 빈틈없이 늘어놓아 정사각형을 만들었습니다. 둘레에 놓인 동전의 금액의 합은 얼마인지 구하시오.

답 ______________

3 몇 개의 바둑돌을 빈틈없이 늘어놓아 정사각형을 만들었습니다. 둘레에 놓인 바둑돌의 개수가 56개일 때, 바둑돌은 모두 몇 개인지 구하시오.

> (바둑돌 전체의 개수)
> =(한 변에 놓인 바둑돌의 개수)×(한 변에 놓인 바둑돌의 개수)

답 ______________

4 정사각형 모양의 우표를 빈틈없이 늘어놓아 큰 정사각형을 만들었습니다. 정사각형의 둘레에 놓인 우표가 92장일 때, 사용한 우표는 모두 몇 장인지 구하시오.

풀이

답 ______________

●×●=100이 되는 ●가 가장 바깥쪽의 한 변에 놓이는 바둑돌의 개수입니다.

5 가로와 세로에 바둑돌의 개수가 같도록 빈틈없이 늘어놓아 정사각형을 만들었습니다. 전체 바둑돌의 개수가 100개일 때, 둘레에 놓인 바둑돌은 몇 개인지 구하시오.

풀이

답 ______________

안쪽의 모양은 분홍색 색종이를 빈틈없이 늘어놓아 만든 정사각형입니다.

6 정사각형 모양의 색종이를 가로와 세로 모두 20장씩 빈틈없이 늘어놓아 정사각형을 만들었습니다. 둘레에 놓인 색종이의 색깔은 파란색이고, 안쪽에 놓인 색종이의 색깔은 분홍색일 때, 분홍색 색종이는 몇 장인지 구하시오.

풀이

답 ______________

1 바둑돌을 가로와 세로 모두 12개씩 빈틈없이 늘어놓아 정사각형을 만들었습니다. 둘레에 놓인 바둑돌의 색깔은 검은색이고, 안쪽에 놓인 바둑돌의 색깔은 흰색일 때, 흰색 바둑돌은 검은색 바둑돌보다 몇 개 더 많은지 구하시오.

검은색 바둑돌과 흰색 바둑돌의 수를 먼저 구합니다.

풀이

답 ______________

2 10원짜리 동전을 가로와 세로 모두 13개씩 빈틈없이 늘어놓아 정사각형을 만들었습니다. 이 정사각형의 둘레를 10원짜리 동전으로 한 번 더 에워쌀 때, 돈은 얼마가 더 필요한지 구하시오.

정사각형의 둘레를 한 번 더 에워싸면 한변에 놓인 동전의 개수가 2개씩 늘어납니다.

풀이

답 ______________

3 정사각형 모양의 카드를 가로가 세로보다 2장 더 많게 빈틈없이 늘어놓아 직사각형을 만들었습니다. 전체 카드의 수가 120장일 때, 둘레에 놓인 카드는 몇 장인지 구하시오.

(가로의 카드 수)×(세로의 카드 수)=120
(가로의 카드 수)−(세로의 카드 수)=2

풀이

답 ______________

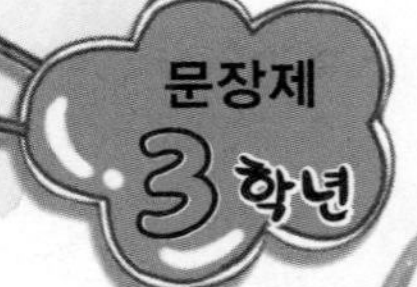

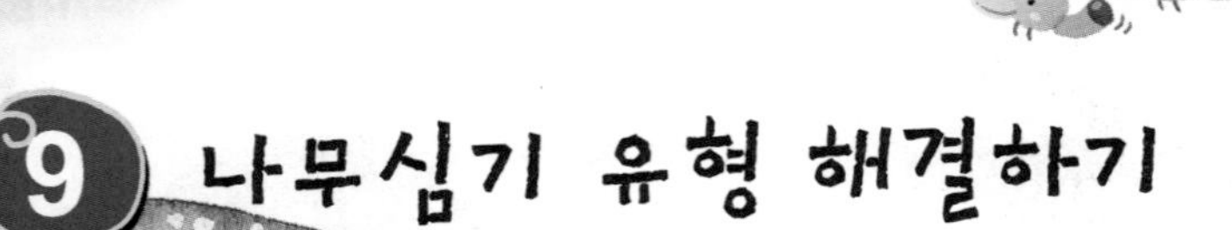

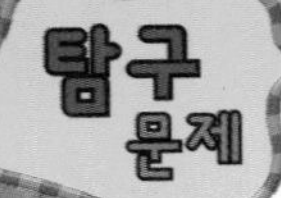

길이가 60m인 도로에 6m 간격으로 나무를 심으려고 합니다. 도로의 처음과 끝에도 나무를 심는다고 할 때, 물음에 답하시오.

(1) 도로의 한쪽에만 심는다면 나무는 몇 그루가 필요한지 구하시오.

(2) 도로의 양쪽에 모두 심는다면 나무는 몇 그루가 필요한지 구하시오.

풀이 (1) 나무와 나무 사이의 간격의 수는 $60 \div 6 = 10$(개)이므로 도로의 한쪽에 필요한 나무 수는 $10 + 1 = 11$(그루)입니다.

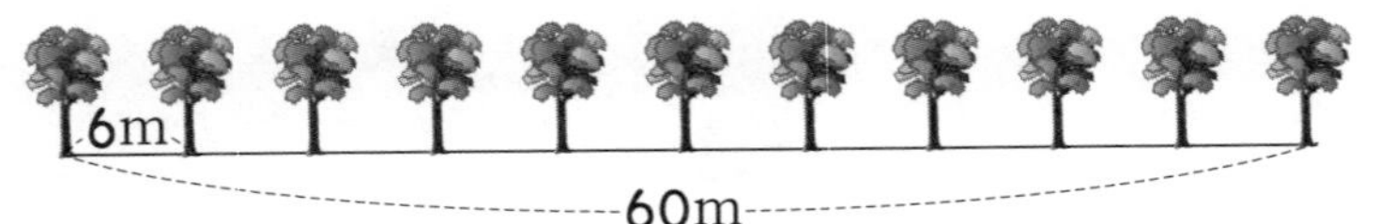

(2) 도로의 양쪽에 필요한 나무 수는 $11 \times 2 = 22$(그루)입니다.

꼼꼼 돌다리

(간격의 수)
=(전체 길이)
÷(간격의 길이)

Check Point

- 처음과 끝에 나무를 심을 때 : (나무의 수)=(간격의 수)+1
- 처음과 끝에 나무를 심지 않을 때 : (나무의 수)=(간격의 수)−1
- 둥근 연못 등에 나무를 심을 때 : (나무의 수)=(간격의 수)

확인 문제

길이가 72m인 도로의 양쪽에 4m 간격으로 가로등을 세우려고 합니다. 가로등은 모두 몇 개를 세우게 되는지 구하시오. (단, 도로의 처음과 끝에도 가로등을 세웁니다.)

1 간격은 몇 개인지 구하시오.

(　　　　　　)

2 도로 한쪽에 가로등은 몇 개를 세우게 되는지 구하시오.

(　　　　　　)

3 도로 양쪽에 가로등은 몇 개를 세우게 되는지 구하시오.

(　　　　　　)

양쪽에 세우는 가로등의 수는 한쪽에 세우는 가로등 수를 2배 하여 구할 수 있어요.

생각의 샘

1 길이가 90m 되는 길의 한쪽에 3m 간격으로 단풍나무를 심으려고 합니다. 길의 처음과 끝에도 나무를 심는다고 할 때, 단풍나무는 몇 그루가 필요한지 구하시오.

> 길의 처음과 끝에도 나무를 심으면 나무의 수는 간격의 수보다 1개 더 많습니다.

풀이

답 ______________

2 길이가 76m인 도로의 양쪽에 4m 간격으로 나무를 심으려고 합니다. 나무는 모두 몇 그루 필요한지 구하시오. (단, 도로의 처음과 끝에도 반드시 나무를 심습니다.)

> (도로의 양쪽에 필요한 나무 수)
> =(도로의 한쪽에 필요한 나무 수)×2

풀이

답 ______________

3 길이가 75m인 산책로가 있습니다. 산책로의 한쪽에 기둥을 처음부터 5m 간격으로 세운다면, 기둥은 몇 개가 필요한지 구하시오. (단, 산책로의 처음과 끝에는 기둥을 세우지 않습니다.)

> 처음과 끝에 기둥을 세우지 않으면
> (기둥의 수)
> =(간격의 수)−1입니다.

풀이

답 ______________

종이 테이프의 처음과 끝에 스티커를 붙이지 않으면 간격은 스티커보다 1개 더 많습니다.

4 길이가 51cm인 종이 테이프가 있습니다. 이 종이 테이프 위에 처음부터 3cm 간격으로 스티커를 붙일 때, 붙인 스티커는 몇 장인지 구하시오. (단, 종이 테이프의 처음과 끝에는 스티커를 붙이지 않습니다.)

답 ________

연못에 나무를 심을 때
(간격의 수)=(나무의 수)

5 둥근 연못이 있습니다. 이 연못의 둘레에 7m 간격으로 버드나무가 심어져 있습니다. 연못의 둘레가 84m라면, 버드나무는 몇 그루 심어져 있는지 구하시오.

답 ________

(농장의 둘레)
=(간격)×(간격의 수)

6 어떤 농장의 둘레에 12m 간격으로 말뚝을 세웠습니다. 세운 말뚝의 수가 29개라면, 이 농장의 둘레는 몇 m인지 구하시오.

답 ________

1 도로의 양쪽에 은행나무를 9m 간격으로 심는데 모두 86그루가 사용되었습니다. 은행나무가 심어져 있는 도로의 길이는 몇 m인지 구하시오. (단, 도로의 처음과 끝에도 은행나무가 심어져 있습니다.)

> 도로 한쪽에 심어져 있는 은행나무는 양쪽에 심어져 있는 은행나무 수의 반입니다.

풀이

답 ____________

2 가로가 30m, 세로가 15m인 직사각형 모양의 땅이 있습니다. 이 땅의 둘레를 따라 3m 간격으로 진달래나무를 심었습니다. 모두 몇 그루의 진달래나무를 심었는지 구하시오.

> (직사각형의 둘레)
> =(가로)+(세로)+(가로)+(세로)

풀이

답 ____________

3 한 변의 길이가 8m인 정사각형 모양의 땅 둘레에 콩을 32cm 간격으로 심었습니다. 콩은 모두 몇 군데에 심은 것인지 구하시오.

> 한 변의 길이가 8m인 정사각형의 둘레의 길이
> ➡ (8+8+8+8)m

풀이

답 ____________

(깃발의 수)
=(간격의 수)-1

4 달리기를 하려고 합니다. 출발선에서 결승선까지의 거리는 100m이고, 한쪽에만 처음부터 4m 간격으로 깃발을 세우기 위해 깃발을 30개 준비했습니다. 남는 깃발은 몇 개인지 구하시오. (단, 출발선과 결승선에는 깃발을 세우지 않습니다.)

답 ____________

(필요한 소나무 수)
=(길의 한쪽에 필요한 소나무 수)×2

5 길이가 96m인 길의 양쪽에 소나무를 8m 간격으로 심으려고 합니다. 준비된 소나무가 22그루이고, 길의 처음과 끝에도 소나무를 심는다면, 더 필요한 소나무는 몇 그루인지 구하시오.

답 ____________

전봇대의 수는 간격의 수보다 1개 더 많습니다.

6 한별이네 집과 영수네 집 사이에 있는 길을 따라 세워져 있는 전봇대를 세어 보니 모두 28개였습니다. 전봇대와 전봇대 사이의 간격이 17m라면, 한별이가 영수네 집에 다녀올 때 모두 몇 m를 걸어야 하는지 구하시오. (단, 한별이네 집과 영수네 집 앞에도 전봇대가 세워져 있습니다.)

답 ____________

1 한솔이네 집과 은행 사이에 있는 도로의 한쪽에는 가로수가 23m 간격으로 35그루 심어져 있습니다. 집에서 첫째 번 가로수, 마지막 가로수에서 은행까지의 간격이 모두 4m로 같다면, 한솔이네 집에서 은행까지의 거리는 몇 m인지 구하시오.

첫째 번 가로수와 마지막 가로수까지의 거리를 구해 봅니다.

풀이

답 ______________

2 둘레의 길이가 98m인 호수가 있습니다. 이 호수의 둘레에 14m 간격으로 소나무를 심고, 소나무와 소나무 사이마다 밤나무를 두 그루씩 심으려고 합니다. 나무는 모두 몇 그루 필요한지 구하시오.

밤나무의 수는 2×(소나무를 심은 간격의 수)입니다.

풀이

답 ______________

3 다음 그림과 같이 가로의 길이가 85cm인 그림 7장을 가로의 길이가 6m 91cm인 벽에 붙이려고 합니다. 벽과 그림 사이, 그림과 그림 사이의 간격을 모두 같게 하려면, 몇 cm의 간격으로 붙여야 하는지 구하시오.

그림 2장 ➡ 간격 3개
그림 3장 ➡ 간격 4개
⋮
그림 ■장 ➡ 간격 (■+1)개

6m 91cm
85cm

풀이

답 ______________

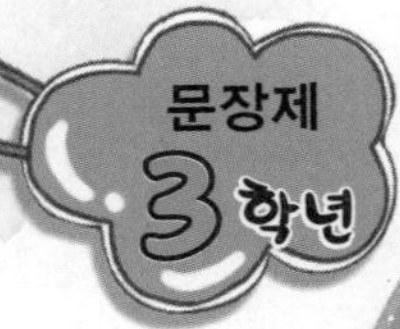

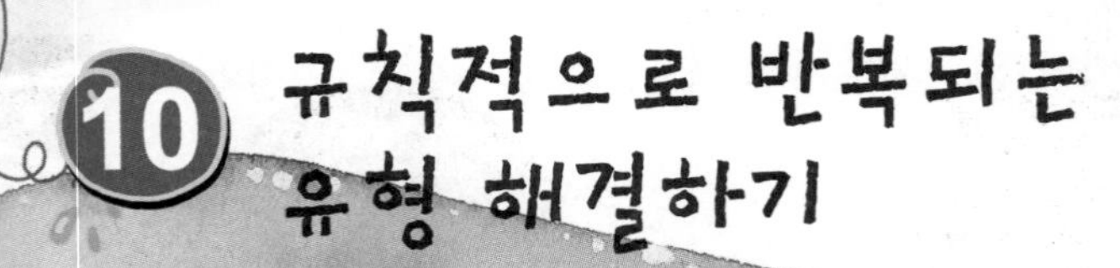

10 규칙적으로 반복되는 유형 해결하기

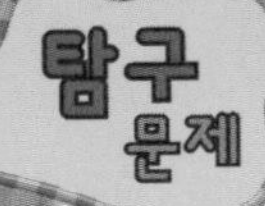

다음과 같은 규칙으로 바둑돌 56개를 늘어놓았습니다. 물음에 답하시오.

●○○●○●○○●○●○○●○●○ …

(1) 56째 번에는 무슨 색 바둑돌이 놓이게 되는지 구하시오.

(2) 검은색 바둑돌은 몇 개인지 구하시오.

풀이 (1) 반복되는 부분은 ●○○●○ 입니다. $56 \div 5 = 11 \cdots 1$에서 반복되는 부분은 11묶음이고, 바둑돌이 1개 남습니다.
따라서, 56째 번에는 검은색 바둑돌이 놓입니다.

(2) 반복되는 부분은 11묶음이고, 한 묶음 안에는 검은색 바둑돌이 2개씩 있습니다. 따라서, 검은색 바둑돌은 $2 \times 11 + 1 = 22 + 1 = 23$(개)입니다.

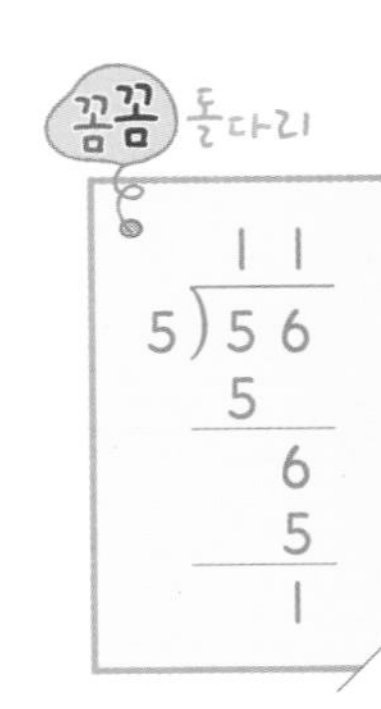

Check Point

전체를 반복되는 부분의 개수로 나누어 몫과 나머지를 구하여 해결합니다.

확인 문제

다음과 같이 수를 규칙적으로 늘어놓았습니다. 48째 번까지의 수 중 7은 몇 번 나오는지 구하시오.

2, 7, 4, 7, 1, 7, 2, 7, 4, 7, 1, 7, 2, 7, 4, 7, 1, 7, 2, …

1 반복되는 부분의 수를 써 보시오.

(　　　　　　　　)

2 반복되는 부분 안에 7은 몇 번 나옵니까?

(　　　　　　　　)

3 48째 번까지의 수 중 7은 몇 번 나오는지 구하시오.

(　　　　　　　　)

전체를 반복되는 부분의 개수로 나누어 보세요.

생각의 샘

1 다음과 같은 규칙으로 도형을 늘어놓았습니다. 62째 번에 올 모양은 무엇인지 그리시오.

> 반복되는 부분을 찾아 전체를 반복되는 부분의 개수로 나누어 봅니다.

풀이

답 ______________

2 다음과 같이 수를 규칙적으로 늘어놓았습니다. 75째 번에 올 수는 무엇인지 구하시오.

8, 5, 4, 0, 8, 5, 4, 0, 8, 5, 4, 0, 8, 5, 4, 0, 8, …

답 ______________

3 다음과 같이 도형을 규칙적으로 늘어놓았습니다. 79개를 늘어놓았을 때, ▣는 몇 개 있는지 구하시오.

▣◇◉▣▣◉▣◇◉▣▣◉▣◇◉▣▣ …

> 반복되는 부분 안에 ▣가 몇 개 들어 있는지 알아봅니다.

풀이

답 ______________

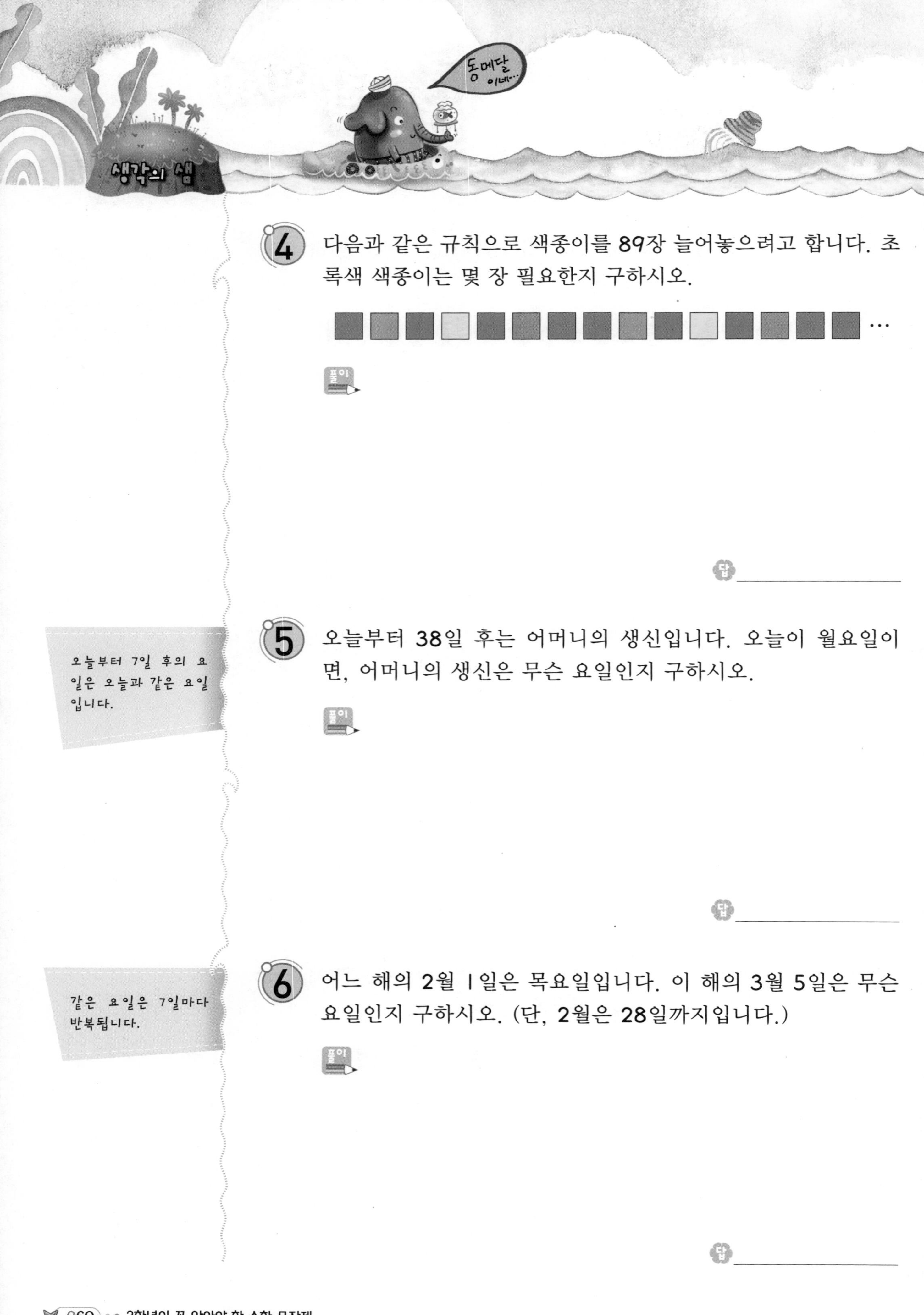

4. 다음과 같은 규칙으로 색종이를 89장 늘어놓으려고 합니다. 초록색 색종이는 몇 장 필요한지 구하시오.

풀이

답 ______

오늘부터 7일 후의 요일은 오늘과 같은 요일입니다.

5. 오늘부터 38일 후는 어머니의 생신입니다. 오늘이 월요일이면, 어머니의 생신은 무슨 요일인지 구하시오.

풀이

답 ______

같은 요일은 7일마다 반복됩니다.

6. 어느 해의 2월 1일은 목요일입니다. 이 해의 3월 5일은 무슨 요일인지 구하시오. (단, 2월은 28일까지입니다.)

풀이

답 ______

1 다음과 같이 규칙에 따라 바둑돌을 늘어놓았습니다. 77째 번과 79째 번에는 바둑돌을 어디에 놓아야 하는지 차례로 그리시오.

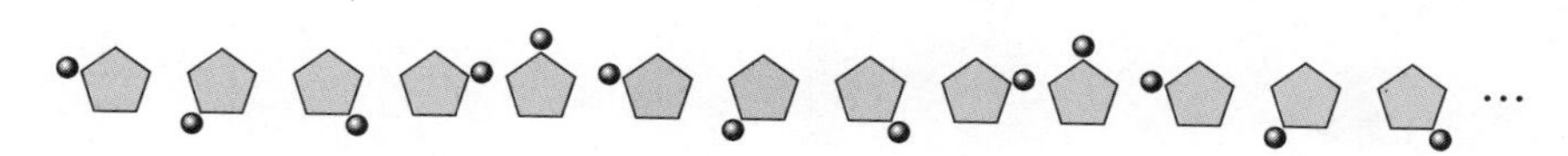

풀이

답 ____________

2 다음과 같이 도형을 규칙적으로 늘어놓으려고 합니다. 83째 번과 90째 번에 놓이는 도형들의 변의 수의 합은 몇 개인지 구하시오.

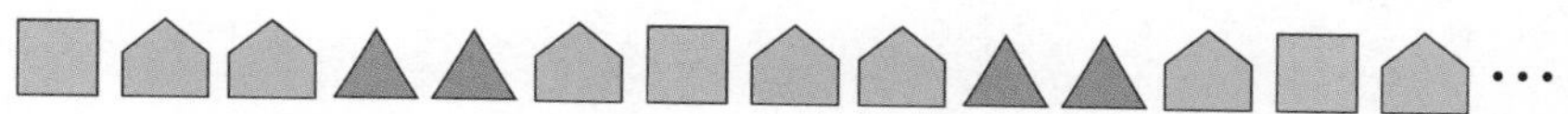

풀이

답 ____________

□는 변이 4개, ⌂는 변이 5개, △는 변이 3개 있습니다.

3 도형을 규칙적으로 늘어놓았습니다. 88개를 늘어놓았을 때, ○과 □의 개수의 차를 구하시오.

☆□□○☆□○□☆□□○☆□○□☆□□○☆ …

풀이

답 ____________

반복되는 부분 안에 ○과 □이 각각 몇 개 들어 있는지 알아봅니다.

반복되는 부분 안에 들어 있는 수들의 합을 먼저 구해 봅니다.

4 다음과 같이 수를 규칙적으로 늘어놓았습니다. 처음부터 36째 번 수까지의 총합을 구하시오.

7, 9, 2, 8, 8, 4, 4, 7, 9, 2, 8, 8, 4, 4, 7, 9, 2, 8, ⋯

답 ____________

3월은 31일까지, 4월은 30일까지, 5월은 31일까지입니다.

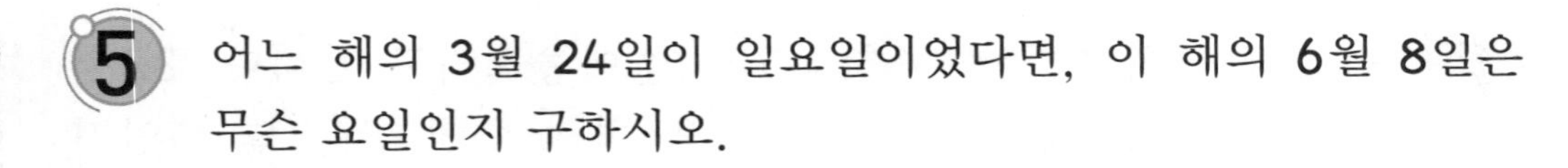

5 어느 해의 3월 24일이 일요일이었다면, 이 해의 6월 8일은 무슨 요일인지 구하시오.

답 ____________

먼저 4월 1일이 무슨 요일인지 알아봅니다.

6 어느 해의 3월 1일은 화요일입니다. 이 해의 4월 첫째 주 토요일의 날짜와 넷째 주 토요일의 날짜의 합은 얼마인지 구하시오.

답 ____________

1 다음과 같이 수를 규칙적으로 늘어놓았습니다. 81째 번까지의 수 중에서 9가 몇 번 나오는지 알아내어 그들의 합을 구하시오.

2, 9, 9, 4, 9, 5, 9, 7, 2, 9, 9, 4, 9, 5, 9, 7, 2, 9, 9, 4, …

답 ______________

다음과 같이 3종류의 동전을 규칙적으로 늘어놓았습니다. 물음에 답하시오. (2～3)

2 반복되는 부분의 동전의 금액을 모두 더하면 얼마인지 구하시오.

답 ______________

3 금액의 합이 3600원이 되는 것은 처음부터 몇째 번 동전까지의 합인지 구하시오.

풀이

3600원에서 반복되는 부분 안에 있는 동전의 금액의 합을 계속 빼어 봅니다.

답 ______________

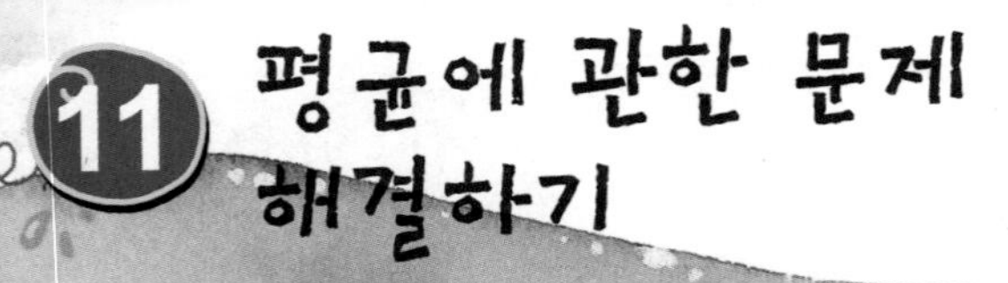

11 평균에 관한 문제 해결하기

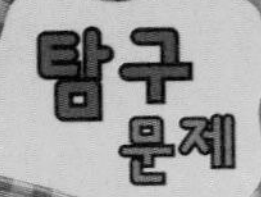

가, 나, 다 세 막대가 있습니다. 세 막대의 평균 길이는 몇 cm인지 구하시오.

가 12cm
나 16cm
다 14cm

꼼꼼 돌다리

(평균 길이)=(전체 막대 길이의 합)÷(막대의 수)

풀이1 가, 나, 다 세 막대의 길이의 합은 $12+16+14=42$(cm)이므로, 세 막대의 평균 길이는 $42 \div 3=14$(cm)입니다.

풀이2 다 막대를 기준으로 생각하면, 가 막대는 다 막대보다 2cm 더 짧고, 나 막대는 다 막대보다 2cm 더 깁니다. 따라서, 세 막대 모두 14cm가 됨을 알 수 있습니다.

가 2cm
나 2cm
다 14cm

Check Point

전체 막대의 길이의 합을 막대 수로 나눈 것과 같이, 전체를 더한 합계를 개수로 나눈 것을 평균이라고 합니다. (평균)=(전체를 더한 합계)÷(개수)

확인 문제

석기네 모둠 학생들이 갖고 있는 위인전의 수를 조사하여 나타낸 표입니다. 한 학생당 갖고 있는 위인전은 평균 몇 권인지 구하시오.

석기네 모둠 학생들이 갖고 있는 위인전 수

이름	석기	지혜	영수	상연
위인전의 수(권)	15	22	8	11

1 석기네 모둠 학생들이 갖고 있는 위인전은 모두 몇 권입니까?

( )

2 한 학생당 갖고 있는 위인전 수의 평균을 식을 세워 구하려고 합니다. □ 안에 알맞은 수를 써 넣으시오.

$(15+22+8+11) \div \square = \square$(권)

석기네 모둠 학생들이 갖고 있는 위인전의 총 수를 모둠 학생들의 수로 나눠야겠지요?

생각의 샘

1 용희, 한초, 웅이가 갖고 있는 스티커의 수는 각각 23개, 19개, 30개입니다. 세 사람이 갖고 있는 스티커의 평균 개수를 구하시오.

(스티커의 평균 개수)
=(세 사람이 갖고 있는 스티커의 수)÷3

풀이

답 ____________

2 동민이네 학교에서 각 특별 활동 반의 신입생 수를 조사하여 나타낸 표입니다. 특별 활동 반의 평균 신입생 수를 구하시오.

각 특별 활동 반의 전체 신입생 수를 4로 나누어 평균 신입생 수를 구합니다.

특별 활동 반의 신입생 수

반	방송반	미술반	합창반	축구반
학생 수(명)	8	9	19	12

풀이

답 ____________

3 규형, 신영, 영수의 수학 점수는 각각 75점, 95점, 85점입니다. 세 사람의 평균 점수를 구하시오.

(세 자리 수)÷(한 자리 수)도 (두 자리 수)÷(한 자리 수)와 같은 방법으로 계산합니다.

예
```
    3 4
3 ) 1 0 2
    9
    ---
    1 2
    1 2
    ---
      0
```

풀이

답 ____________

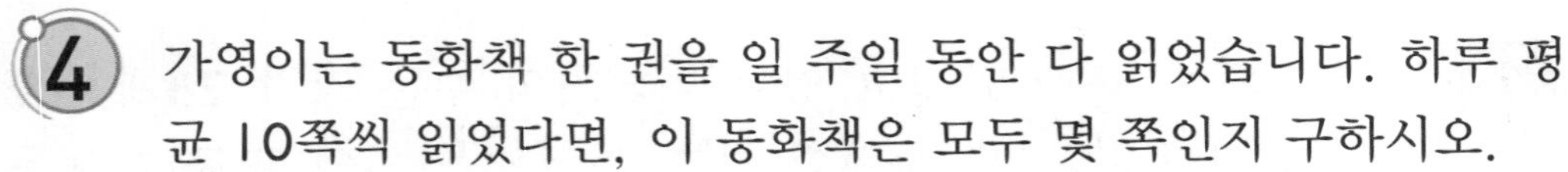

일 주일은 7일입니다.
(전체를 더한 합계)
=(평균)×(개수)

4 가영이는 동화책 한 권을 일 주일 동안 다 읽었습니다. 하루 평균 10쪽씩 읽었다면, 이 동화책은 모두 몇 쪽인지 구하시오.

답 ____________

1000mL=1L임을 이용하여 답을 구합니다.

5 율기는 하루에 평균 200mL의 우유를 마신다고 합니다. 5일 동안에는 모두 몇 L의 우유를 마시는지 구하시오.

답 ____________

먼저 한별이와 영수가 맞힌 과녁의 점수의 합을 구합니다.

6 오른쪽 그림은 한별이와 영수가 각각 3번씩 화살을 쏘아 맞힌 과녁을 서로 다른색의 점으로 표시한 것입니다. 한별이와 영수의 평균 점수를 각각 구하시오.

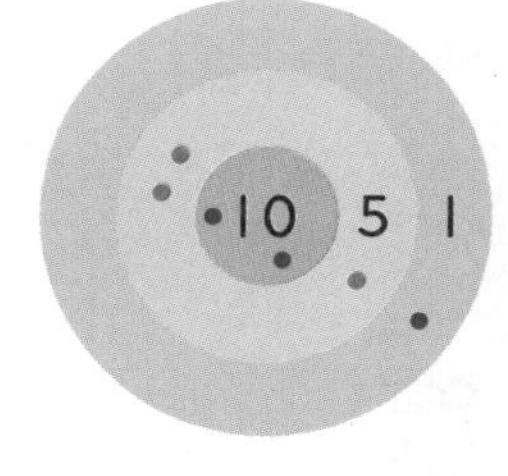

•:한별 •:영수

풀이

답 ____________

은메달 따기

생각의 샘

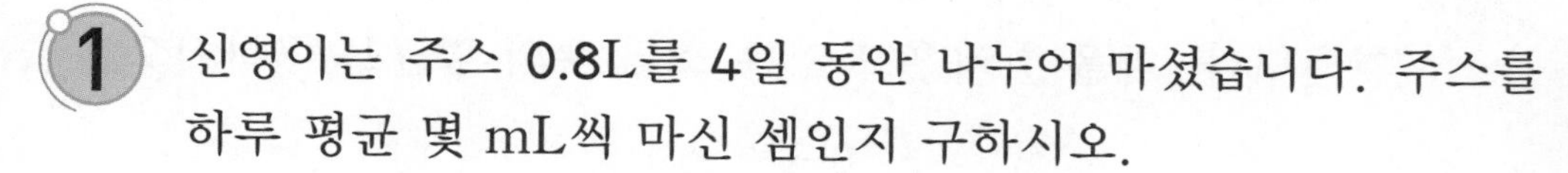

1 신영이는 주스 0.8L를 4일 동안 나누어 마셨습니다. 주스를 하루 평균 몇 mL씩 마신 셈인지 구하시오.

> 1L=1000mL이고, 0.1L=100mL입니다.

풀이

답 ____________

2 3개의 선물 상자를 포장하는 데 사용한 리본의 길이가 각각 220cm, 3.4m, 2m 50cm입니다. 한 개의 선물 상자를 포장하는 데 평균 몇 cm의 리본을 사용한 셈인지 구하시오.

> 3개의 선물 상자를 포장하는 데 사용한 리본의 길이를 모두 cm 단위로 바꾸어 평균 길이를 구합니다.

풀이

답 ____________

3 영수네 반에서 6일 동안 지각한 학생 수를 조사하여 나타낸 표입니다. 지각한 학생은 하루 평균 몇 명인 셈인지 구하시오.

> 화요일과 토요일에 지각한 학생이 없음에 주의하여 구합니다.

요일별 지각한 학생 수

요일	월	화	수	목	금	토
학생 수(명)	3	0	2	4	3	0

풀이

답 ____________

그림그래프에서 마을별 키우고 있는 소의 수를 알아봅니다.

4 마을별 키우고 있는 소의 수를 조사하여 그림그래프로 나타낸 것입니다. 마을별 키우고 있는 소의 수의 평균을 구하시오.

마을별 소의 수

답 ____________

두 사람이 갖고 있는 도넛의 개수의 평균이 똑같이 가져야 하는 도넛의 개수입니다.

5 도넛을 용희는 16개, 한초는 10개를 갖고 있습니다. 용희가 한초에게 몇 개를 주어야 두 사람이 갖고 있는 도넛의 개수가 같아집니까?

답 ____________

(평균 점수)
=(4회까지 총점)÷4

6 규형이와 한솔이가 4회에 걸쳐 본 수학 시험 점수입니다. 누구의 평균 점수가 몇 점 더 높은지 구하시오.

수학 점수

횟수(회)	1	2	3	4
규형이의 점수(점)	80	76	84	88
한솔이의 점수(점)	88	90	74	64

답 ____________

1 한별이의 몸무게는 42kg입니다. 영수의 몸무게가 한별이보다 8kg 더 가볍다고 할 때, 두 사람의 몸무게의 평균을 구하시오.

(영수의 몸무게)
=(한별이의 몸무게)-8

풀이

답 ________________

2 율기는 하루에 4시간씩 6일 동안 공부하고 이틀은 쉬었습니다. 8일 동안 하루 평균 몇 시간씩 공부한 셈인지 구하시오.

8일 동안 공부한 시간은 6일 동안 공부한 총 시간과 같습니다.

풀이

답 ________________

3 효근이네 모둠 학생들이 가지고 있는 블록의 수를 조사하여 나타낸 표입니다. 예슬이가 가지고 있는 블록은 몇 개인지 구하시오.

(모둠 학생들이 가지고 있는 블록의 전체 개수)
=(평균 블록 수)×(모둠 학생 수)

블록의 개수

이름	효근	예슬	동민	평균
블록의 수(개)	16		11	13

답 ________________

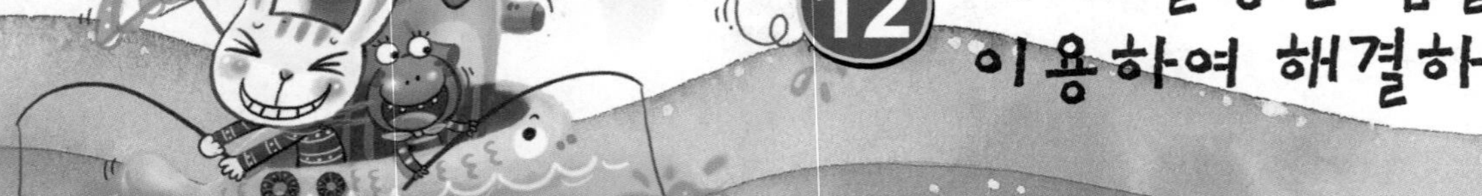

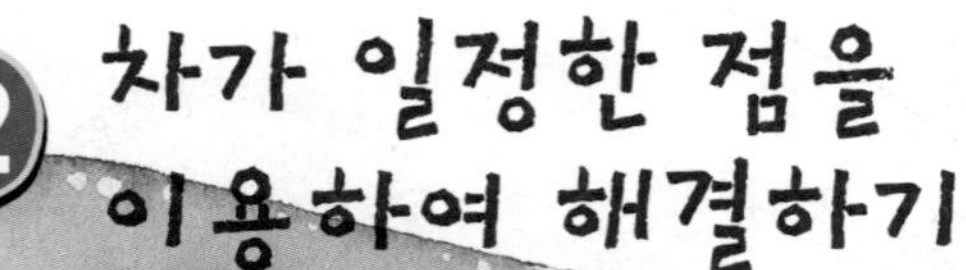

12 차가 일정한 점을 이용하여 해결하기

탐구 문제

올해 예슬이의 나이는 10살이고, 어머니의 연세는 36세입니다. 어머니의 연세가 예슬이의 나이의 3배가 되는 것은 지금부터 몇 년 후인지 구하시오.

풀이 어머니와 예슬이의 나이의 차는 $36-10=26$(살)입니다.
몇 년 후의 나이를 그림으로 나타내면 다음과 같습니다.

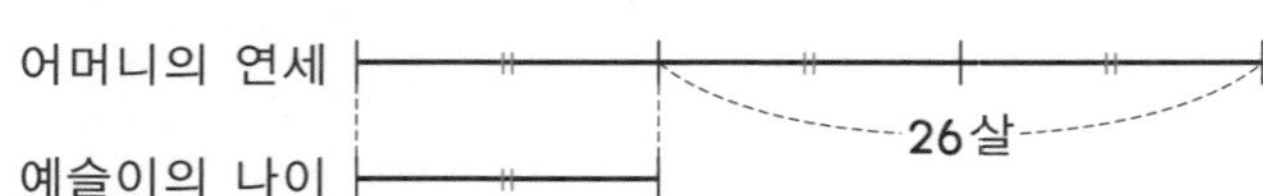

위의 그림에서 몇 년 후의 예슬이의 나이는 $26\div(3-1)=13$(살)이 됩니다. 따라서, 3배가 되는 것은 $13-10=3$(년) 후입니다.

어머니와 예슬이의 나이의 차는 시간이 지나도 항상 같습니다.

Check Point

나이의 차가 항상 일정하다는 것을 생각하여 문제를 해결합니다.

확인 문제

올해 동민이는 8살이고, 형은 20살입니다. 형의 나이가 동민이의 나이의 2배가 되는 것은 지금부터 몇 년 후인지 구하시오.

1 몇 년 후의 동민이와 형의 나이를 그림으로 나타내었습니다. □ 안에 알맞은 수를 써 넣으시오.

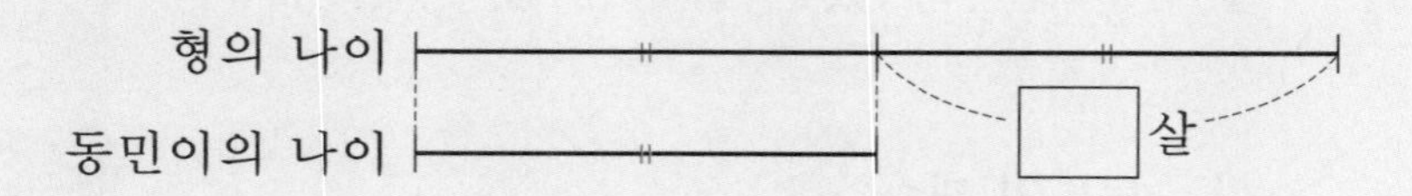

2 몇 년 후의 동민이의 나이는 몇 살입니까?

(　　　　　　　　)

3 형의 나이가 동민이의 나이의 2배가 되는 것은 몇 년 후인지 구하시오.

(　　　　　　　　)

형과 동민이의 나이 차는 몇 년 후에도 변함이 없습니다.

생각의 샘

1 올해 한초의 나이는 9살, 선생님의 연세는 33세입니다. 선생님의 연세가 한초의 나이의 3배가 되는 것은 지금부터 몇 년 후인지 구하시오.

> 시간이 지나도 선생님의 연세와 한초의 나이의 차는 변하지 않습니다.

풀이

답 ____________

2 올해 아버지의 연세는 52세이고, 아들의 나이는 10살입니다. 아버지의 연세가 아들의 나이의 4배가 되는 것은 지금부터 몇 년 후인지 구하시오.

> 몇 년 후의 아들의 나이는 (아버지와 아들의 나이의 차)÷(4−1)입니다.

풀이

답 ____________

3 올해 할아버지의 연세는 70세이고, 신영이의 나이는 10살입니다. 할아버지의 연세가 신영이의 나이의 6배가 되는 것은 지금부터 몇 년 후인지 구하시오.

> 할아버지와 신영이의 나이의 차는 (70−10)살로 항상 같습니다.

풀이

답 ____________

몇 년 전에도 가영이와 동생의 나이의 차는 같았습니다.

4 올해 가영이와 동생의 나이는 각각 13살, 10살입니다. 가영이의 나이가 동생의 나이의 2배가 되었던 때는 지금부터 몇 년 전인지 구하시오.

풀이

답 ______________

어머니의 연세가 용희의 나이의 5배일 때 용희의 나이는 (어머니와 용희의 나이 차)÷(5−1)입니다.

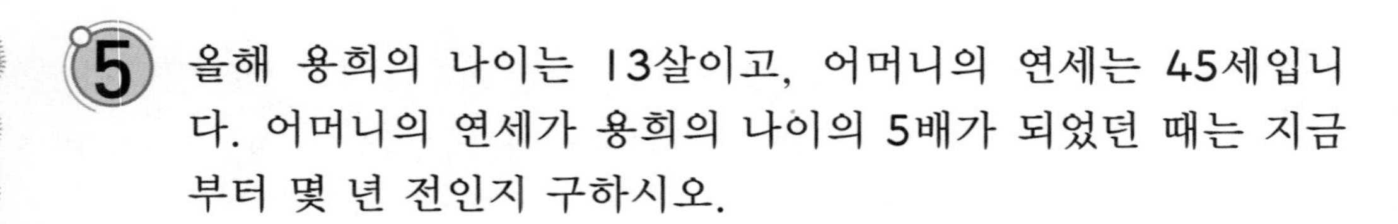

5 올해 용희의 나이는 13살이고, 어머니의 연세는 45세입니다. 어머니의 연세가 용희의 나이의 5배가 되었던 때는 지금부터 몇 년 전인지 구하시오.

답 ______________

6 올해 아버지의 연세는 43세이고, 지혜의 나이는 15살입니다. 지혜의 나이의 5배가 아버지의 연세와 같았던 때는 지금부터 몇 년 전인지 구하시오.

답 ______________

은메달 따기

생각의 셈

1 지금 사탕을 효근이는 25개, 한초는 13개를 가지고 있습니다. 두 사람이 사탕을 내일부터 하루에 한 개씩 먹는다면, 효근이의 남는 사탕의 개수가 한초의 남는 사탕의 개수의 3배가 되는 것은 며칠 후인지 구하시오.

두 사람이 가지고 있는 사탕의 개수의 차는 시간이 지나도 일정합니다.

풀이

답 ____________

2 석기와 웅이는 연필을 각각 몇 자루씩 가지고 있었습니다. 이번 달까지 연필을 매달 1자루씩 사용하고 나니 석기는 18자루, 웅이는 38자루가 남았습니다. 웅이의 연필 수가 석기의 연필 수의 2배가 되었던 때는 몇 달 전인지 구하시오.

답 ____________

3 올해 삼촌과 한솔이의 나이의 차는 20살이고, 삼촌의 연세는 한솔이의 나이의 3배입니다. 올해 삼촌의 연세를 구하시오.

한솔이의 나이는 (삼촌과 한솔이의 나이의 차)÷(3−1)입니다.

답 ____________

용희의 나이는 (어머니와 용희의 나이의 차)÷(4－1)입니다.

4 올해 어머니와 용희의 나이의 차는 33살이고, 어머니의 연세는 용희의 나이의 4배입니다. 올해 어머니와 용희의 나이의 합을 구하시오.

풀이

답 ____________

먼저 올해 신영이의 나이를 구합니다.

5 올해 신영이와 언니의 나이의 합은 26살이고, 나이의 차는 8살입니다. 언니의 나이가 신영이의 나이의 3배가 되었던 때는 지금부터 몇 년 전인지 구하시오.

풀이

답 ____________

6 올해 아버지와 지혜의 나이의 합은 55살이고, 나이의 차는 45살입니다. 아버지의 연세가 지혜의 나이의 4배가 되는 것은 지금부터 몇 년 후인지 구하시오.

풀이

답 ____________

1 이모의 연세는 가영이의 나이보다 26살 더 많습니다. 8년이 지나면 이모의 연세가 가영이의 나이의 3배가 된다고 합니다. 올해 이모와 가영이의 나이를 각각 구하시오.

> 8년이 지나도 이모와 가영이의 나이의 차는 변하지 않습니다.

풀이

답 ____________________

2 어머니의 연세는 한초의 나이보다 28살 더 많습니다. 5년 전에 어머니의 연세가 한초의 나이의 5배였다면, 올해 어머니의 연세와 한초의 나이의 합을 구하시오.

> 5년 전 한초의 나이는 $28 \div (5-1)$살입니다.

풀이

답 ____________________

3 가 창고에는 물건이 248개, 나 창고에는 물건이 104개 있습니다. 양쪽 창고에서 물건을 내일부터 매일 8개씩 밖으로 실어 나를 때 가 창고에 남는 물건의 개수가 나 창고에 남는 물건의 개수의 4배가 되는 것은 며칠 후인지 구하시오.

> 양쪽 창고에서 매일 같은 개수만큼 물건을 실어 나르므로 남는 물건의 개수의 차는 일정합니다.

풀이

답 ____________________

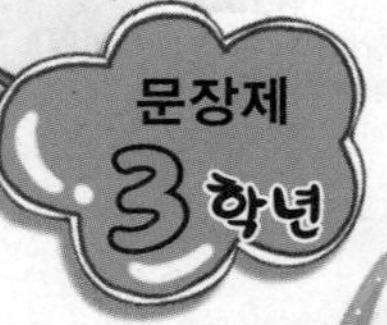

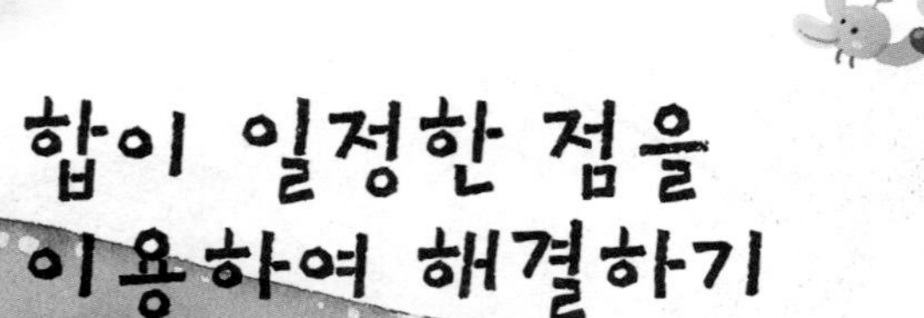

13 합이 일정한 점을 이용하여 해결하기

탐구 문제

구슬을 율기는 50개, 효근이는 30개를 갖고 있습니다. 율기가 효근이에게 몇 개를 주면, 두 사람의 구슬의 개수가 같아지는지 구하시오.

풀이 율기와 효근이가 갖고 있는 구슬의 개수의 합은 $50+30=80$(개)입니다. 따라서, 두 사람이 각각 $80\div2=40$(개)씩 가져야 같아지므로, 율기는 효근이에게 $50-40=10$(개)를 주면 됩니다. 그림으로 나타내면 다음과 같습니다.

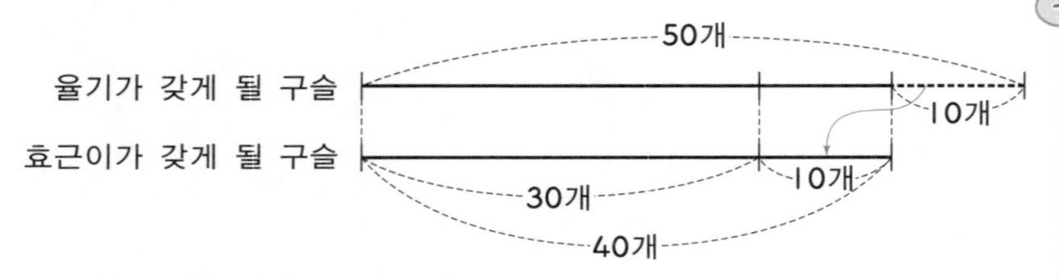

즉, 율기가 효근이에게 10개를 주어야 서로 40개씩 같아집니다.

꼼꼼 돌다리
두 사람이 구슬을 주고 받아도 두 사람이 가지고 있는 구슬의 합은 변하지 않습니다.

Check Point

두 수의 합이 항상 일정하다는 것을 생각하여 문제를 해결합니다.

확인 문제

색종이를 지혜와 석기가 각각 38장, 46장 갖고 있습니다. 석기가 지혜에게 색종이 몇 장을 주면, 두 사람의 색종이의 수가 같아지는지 구하시오.

1 지혜와 석기가 갖고 있는 색종이는 모두 몇 장입니까?

( )

2 지혜와 석기가 색종이를 몇 장씩 가지면 서로 같아집니까?

( )

두 사람이 갖고 있는 색종이의 수의 합을 똑같이 나누어 가지면 되겠죠?

3 석기가 지혜에게 주어야 할 색종이의 수를 구하시오.

( )

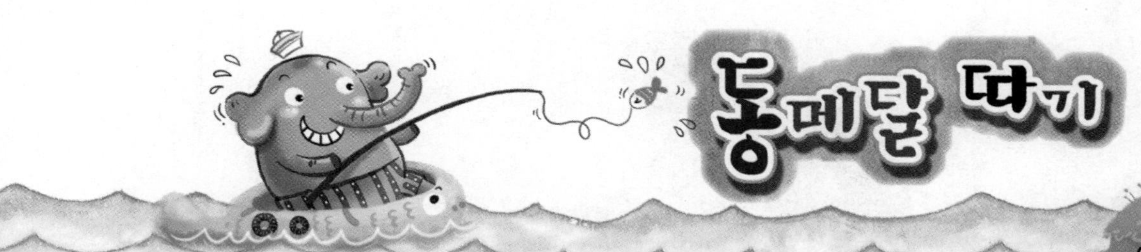

1 블록을 신영이는 16개, 가영이는 24개 갖고 있었습니다. 가영이가 신영이에게 몇 개를 주었더니 두 사람이 가진 블록의 개수가 같아졌습니다. 가영이가 신영이에게 몇 개의 블록을 주었는지 구하시오.

먼저 같아진 블록의 개수를 구합니다.

풀이

답 ________________

2 유리병 가와 나에 각각 2L, 4L의 주스가 들어 있었습니다. 나에서 가로 주스를 옮겨 넣었더니 두 유리병에 들어 있는 주스의 양이 같아졌습니다. 유리병 나에서 가로 몇 L를 옮겨 넣은 것인지 구하시오.

유리병 가와 나에 들어 있는 주스의 양은 모두 (2+4)L입니다.

풀이

답 ________________

3 상자 가에는 사과가 29개, 상자 나에는 감이 17개가 들어 있었습니다. 상자 가에서 나로 사과를 몇 개 옮겨 넣었더니 두 상자에 들어 있는 과일의 개수가 같아졌습니다. 상자 가에서 나로 사과를 몇 개 옮긴 것인지 구하시오.

두 상자에 들어 있는 과일의 개수는 모두 (29+17)개입니다.

풀이

답 ________________

책꽂이에 책을 옮겨 꽂아도 두 칸에 꽂혀 있는 책의 수의 합은 변하지 않습니다.

4 책꽂이의 윗칸과 아랫칸에 책이 각각 24권, 12권 꽂혀 있습니다. 윗칸에서 아랫칸으로 책을 한 번에 2권씩 몇 번 옮기면 두 책꽂이에 꽂힌 책의 수가 같아집니다. 책을 몇 번 옮겨 꽂아야 하는지 구하시오.

답 ____________

사탕을 한 번 옮길 때마다 파란색 봉지의 사탕 수는 2개씩 줄어듭니다.

5 사탕이 빨간색 봉지와 파란색 봉지에 각각 20개, 36개 들어 있었습니다. 사탕을 파란색 봉지에서 빨간색 봉지로 한 번에 2개씩 몇 번 옮겨 넣었더니 두 봉지에 들어 있는 사탕의 개수가 같아졌습니다. 사탕을 몇 번 옮겨 넣은 것인지 구하시오.

답 ____________

6 물통 가와 나에 각각 10L, 18L의 물이 들어 있었습니다. 물통 나에서 가로 1분에 2L씩 몇 분 동안 물을 옮겨 넣었더니 두 물통의 물의 양이 같아졌습니다. 몇 분 만에 두 물통의 물의 양이 같아졌는지 구하시오.

풀이

답 ____________

1 사탕을 예슬이는 50개, 효근이는 40개를 갖고 있었습니다. 효근이가 예슬이에게 사탕 몇 개를 주었더니 예슬이의 사탕의 개수가 효근이의 사탕의 개수의 2배가 되었습니다. 효근이가 예슬이에게 사탕을 몇 개 주었는지 구하시오.

> 효근이가 예슬이에게 사탕을 주어도 두 사람이 갖고 있는 사탕의 개수의 합은 변하지 않습니다.

풀이

답 ____________

2 카드를 웅이는 46장, 신영이는 26장을 갖고 있습니다. 신영이가 웅이에게 카드 몇 장을 주면 웅이의 카드 수가 신영이의 카드 수의 2배가 되는지 구하시오.

> 선분도를 그려봅니다.

풀이

답 ____________

3 한솔이와 영수는 길이가 각각 7m, 5m인 색 테이프를 갖고 있었습니다. 영수가 한솔이에게 색 테이프를 몇 m 주고 나니 한솔이의 색 테이프의 길이가 영수의 색 테이프의 길이의 3배가 되었습니다. 영수가 한솔이에게 준 색 테이프는 몇 m인지 구하시오.

풀이

답 ____________

누나가 석기에게 10개를 주어 두 사람이 가진 블록의 개수가 같아졌다는 것은 두 사람이 가진 블록의 개수의 차가 20개라는 것을 의미합니다.

4 블록을 석기와 누나가 합하여 100개를 갖고 있었습니다. 누나가 석기에게 10개를 주어 두 사람이 가진 블록의 개수가 같아졌다면 처음에 석기와 누나는 각각 몇 개의 블록을 갖고 있었는지 구하시오.

답 ______________________

가 상자의 감자 무게가 나 상자의 감자 무게보다 (6×2)kg 더 무겁습니다.

5 두 상자에 담긴 감자의 무게의 합이 40kg입니다. 감자를 가 상자에서 나 상자로 6kg만큼 옮겨 넣으면 두 상자에 담긴 감자의 무게가 같아진다고 할 때, 두 상자에 담긴 감자의 무게를 각각 구하시오.

답 ______________________

먼저 두 사람이 갖고 있는 연필 수의 합을 구한 후 문제를 해결합니다.

6 효근이는 연필을 40자루, 예슬이는 연필을 60자루 갖고 있었습니다. 예슬이가 효근이에게 연필을 몇 자루 주고 나니 예슬이가 효근이보다 연필이 8자루 더 많았습니다. 예슬이가 효근이에게 연필을 몇 자루 주었는지 구하시오.

답 ______________________

1 신영이와 한초는 같은 금액을 내어 껌 30개를 샀습니다. 신영이가 한초보다 4개를 더 갖기로 하고 대신에 한초에게 40원을 주었습니다. 껌 한 개의 값을 구하시오.

풀이

답 ____________

> 두 사람이 같은 금액을 내었으면 (30÷2)개씩 가져야 합니다.

2 율기와 웅이는 같은 금액을 내어 알사탕 8개를 샀습니다. 율기가 웅이보다 2개를 더 갖기로 하고 대신에 웅이에게 100원을 주었습니다. 율기와 웅이가 처음에 얼마씩 내었는지 구하시오.

풀이

답 ____________

> 율기는 본래 가져야 할 사탕 수보다 1개 더 가진 셈입니다.

3 영수와 동민이는 각각 400원씩 내서 딱지를 8장 산 후 영수가 동민이보다 4장을 더 많게 가졌습니다. 각자 나누어 가진 딱지의 개수만큼 돈을 내려면 영수는 동민이에게 얼마를 주면 되는지 구하시오.

풀이

답 ____________

> 딱지 한 장의 값은?
> ➡ (800÷8)원

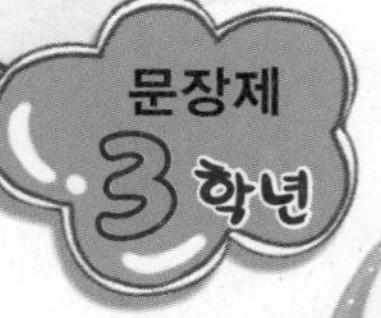

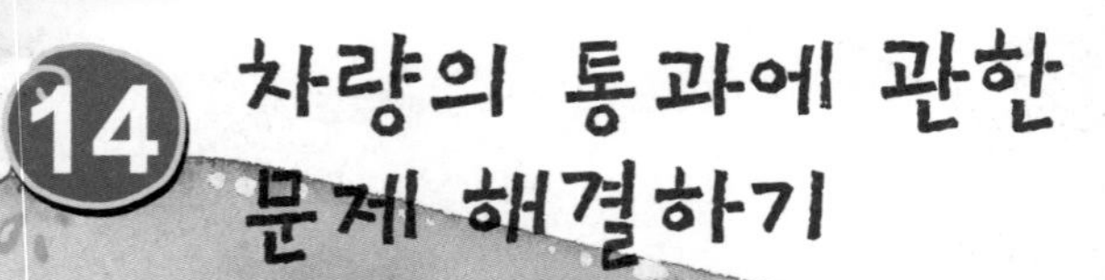

14 차량의 통과에 관한 문제 해결하기

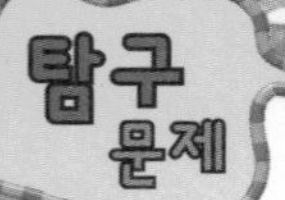

놀이 공원에서 기차가 다리를 건너려고 합니다. 기차의 길이는 20m이고, 1초에 8m의 빠르기로 움직입니다. 이 기차가 길이 60m의 다리를 완전히 건너는 데는 몇 초가 걸리는지 구하시오.

풀이 그림을 그려 살펴봅니다.

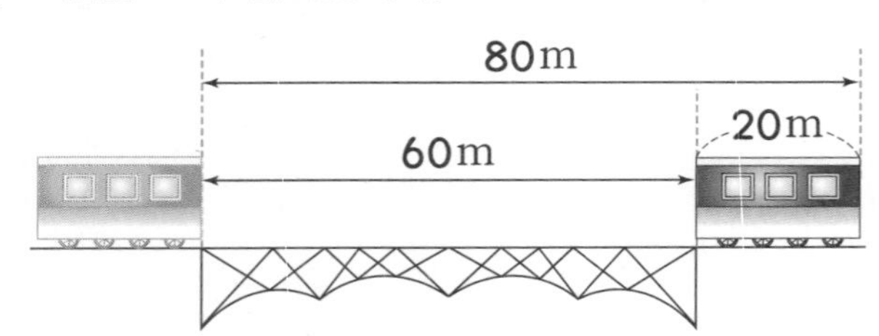

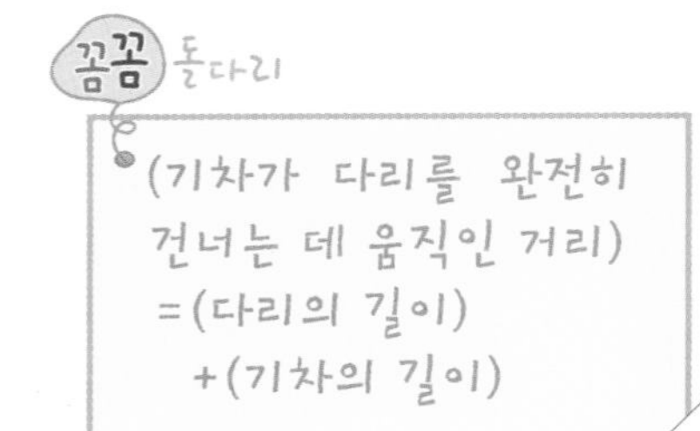

기차가 다리의 진입 부분에 들어서서 다리를 완전히 건널 때까지 움직인 거리는 $60+20=80$(m)입니다. 따라서, 이 기차가 다리를 완전히 건너는 데 걸리는 시간은 $80 \div 8=10$(초)입니다.

Check Point

- (기차가 다리를 통과할 때 걸리는 시간)=(다리 길이+기차 길이)÷(기차의 빠르기)
- (기차가 어느 지점을 통과할 때 걸리는 시간)=(기차 길이)÷(기차의 빠르기)

확인 문제

놀이 공원에서 길이가 16m인 기차가 1초에 6m의 빠르기로 달리고 있습니다. 이 기차가 길이 50m의 다리를 완전히 건너는 데는 몇 초가 걸리는지 구하시오.

1 기차의 길이는 몇 m입니까?

( )

2 기차가 다리의 진입 부분에 들어서서 다리를 완전히 건널 때까지 몇 m를 움직여야 합니까?

( )

3 기차가 다리를 완전히 건너는 데는 몇 초가 걸리는지 구하시오.

( )

(기차가 다리를 완전히 건너는 데 움직인 거리)
=(다리의 길이)
+(기차의 길이)

1 길이가 80m인 열차가 길 옆에 서 있는 가로수 앞을 4초 만에 통과하여 지나갔습니다. 이 열차는 1초에 몇 m를 달린 셈인지 구하시오.

(1초 동안 달린 거리)
=(열차의 길이)÷(달린 시간)

풀이

답 ____________

2 길이가 12m인 버스가 길 옆에 서 있는 신호등 앞을 4초 만에 통과하여 지나갔습니다. 이 버스는 1초에 몇 m를 달린 셈인지 구하시오.

풀이

답 ____________

3 길이가 96m인 열차가 1초에 4m의 빠르기로 달리고 있습니다. 이 열차가 길 옆에 서 있는 신호등 앞을 통과하는 데 걸리는 시간은 몇 초인지 구하시오.

(걸리는 시간)
=(열차의 길이)
÷(열차의 빠르기)

풀이

답 ____________

4 놀이 공원에서 길이가 10m인 동물 열차가 1초에 2m의 빠르기로 달리고 있습니다. 이 열차가 길 옆에 서 있는 어린이를 지나는 데 걸리는 시간은 몇 초인지 구하시오.

풀이

답 ____________

(걸리는 시간)
={(열차의 길이)
+(다리의 길이)}
÷(열차의 빠르기)

5 놀이 공원에서 길이가 23m인 열차가 1초에 5m의 빠르기로 달리고 있습니다. 이 열차가 길이 37m의 다리를 완전히 통과하는 데 걸리는 시간은 몇 초인지 구하시오.

풀이

답 ____________

6 길이가 10m인 버스가 1초에 5m의 빠르기로 달리고 있습니다. 이 버스가 길이 55m인 터널을 완전히 통과하는 데 걸리는 시간은 몇 초인지 구하시오.

풀이

답 ____________

생각의 샘

1 1초에 16m의 빠르기로 달리는 열차가 18초 만에 다리를 완전히 통과하였습니다. 이 열차의 길이가 110m이면, 다리의 길이는 몇 m인지 구하시오.

(다리의 길이)
=(열차가 움직인 총 거리)
−(열차의 길이)

풀이

답 ______________

2 길이가 11m인 버스가 1초에 12m의 빠르기로 어떤 터널을 40초 만에 완전히 통과하였습니다. 이 터널의 길이는 몇 m인지 구하시오.

(터널의 길이)
=(버스가 움직인 총 거리)−(버스의 길이)

풀이

답 ______________

3 몸길이가 2m인 말이 1초에 7m의 빠르기로 달리고 있습니다. 이 말이 어떤 다리를 완전히 통과하는 데 56초가 걸렸다면 이 다리의 길이는 몇 m인지 구하시오.

(말이 움직인 총 거리)
=(말의 빠르기)×(다리를 통과하는 데 걸린 시간)

풀이

답 ______________

(열차의 길이)
=(열차가 움직인 총 거리)
−(철교의 길이)

4 열차가 1초에 20m의 빠르기로 1200m 길이의 철교를 완전히 통과하는 데 65초가 걸렸습니다. 이 열차의 길이는 몇 m인지 구하시오.

답 ____________

1분에 540m의 빠르기로 달리는 열차는 1초에 몇 m의 빠르기로 달리는 셈인지 알아봅니다.

5 놀이 공원에서 길이가 50m인 열차가 1분에 540m의 빠르기로 달리고 있습니다. 이 열차가 길이 400m의 터널을 완전히 통과하는 데 걸리는 시간은 몇 초인지 구하시오.

답 ____________

6 길이가 12m인 버스가 1초에 6m의 빠르기로 달리고 있습니다. 이 버스가 600m 길이의 A 터널을 완전히 통과했고, 얼마 후에 588m의 길이의 B 터널을 완전히 통과했습니다. 두 터널을 각각 통과하는 데 걸린 시간의 차는 몇 초인지 구하시오.

답 ____________

1 길이가 110m인 열차가 1초에 16m의 빠르기로 어떤 터널을 완전히 통과하는 데 45초가 걸렸습니다. 이 터널을 같은 빠르기로 길이가 150m인 다른 열차가 완전히 통과하는 데 움직인 거리는 몇 m인지 구하시오.

먼저 터널의 길이부터 구해야 하겠지요!

풀이

답 ____________

2 10초에 200m의 빠르기로 달리는 열차가 50초 만에 철교를 완전히 통과하였습니다. 이 열차의 길이가 120m이면 철교의 길이는 몇 m인지 구하시오.

(철교의 길이)
=(열차가 움직인 총 거리)−(열차의 길이)

풀이

답 ____________

3 1분에 4km의 빠르기로 달리는 고속열차가 1850m 길이의 터널을 완전히 통과하는 데 30초가 걸렸습니다. 이 고속열차의 길이는 몇 m인지 구하시오.

1분에 4km의 빠르기로 달리는 고속열차는 30초에 (4÷2)km로 달리는 셈입니다.

풀이

답 ____________

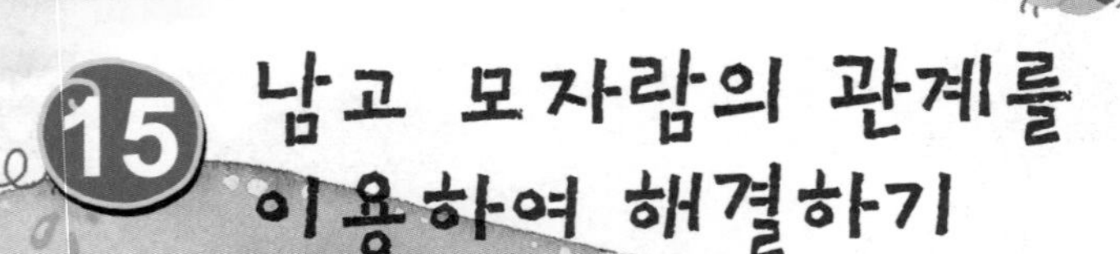

15 남고 모자람의 관계를 이용하여 해결하기

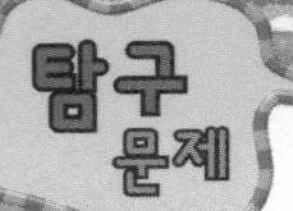

사탕을 몇 사람에게 나누어 주려고 합니다. 한 사람당 2개씩 나누어 주면 5개가 남고, 4개씩 나누어 주면 7개가 부족하다고 합니다. 사람 수와 사탕 수를 각각 구하시오.

풀이 사람 수를 □명이라 하고, 2개씩 나누어 줄 때와 4개씩 나누어 줄 때에 필요한 사탕 수의 차이를 다음과 같이 생각해 봅니다.

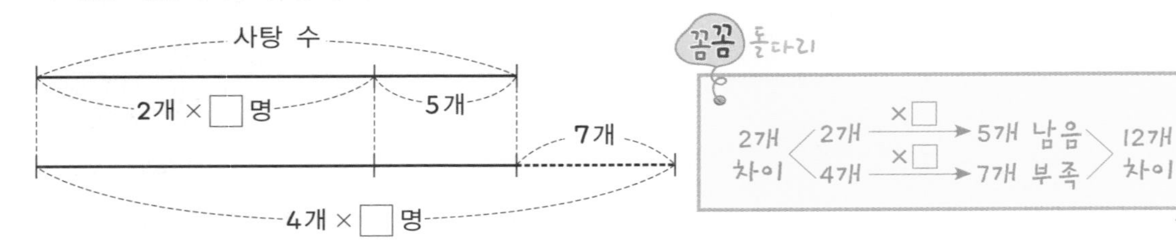

따라서, 사람들에게 사탕을 2개씩 줄 때와 4개씩 줄 때의 사탕 수의 차는 $5+7=12$(개)이므로, 사람 수는 $12\div(4-2)=6$(명)이고, 사탕 수는 $2\times6+5=17$(개)입니다.

Check Point

- (남고 부족할 때의 차) ➡ (남음) + (부족)
- (양쪽 모두 남을 때의 차) ➡ (남음) − (남음)
- (양쪽 모두 부족할 때의 차) ➡ (부족) − (부족)

확인 문제

색종이를 한 학생에게 6장씩 나누어 주면 8장이 남고, 10장씩 나누어 주려면 4장이 부족하다고 합니다. 학생 수와 색종이 수를 각각 구하시오.

1 학생 수를 ★명으로 하여 오른쪽 그림과 같이 선분으로 나타내었습니다. □ 안에 알맞은 수를 써 넣으시오.

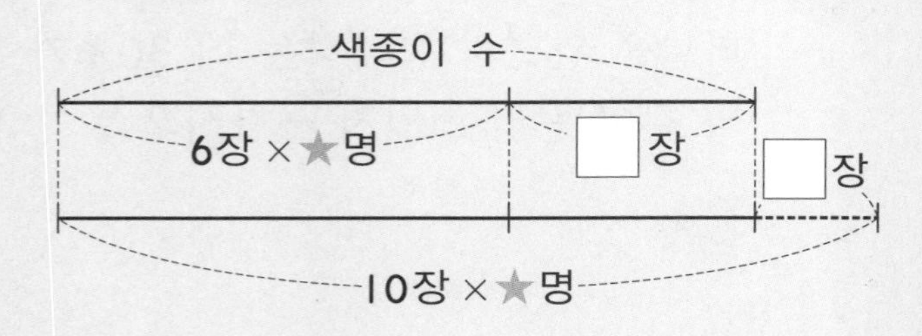

2 학생 수는 몇 명인지 구하시오.

(　　　　　　　　)

3 색종이 수는 몇 장인지 구하시오.

(　　　　　　　　)

생각의 샘

1 귤을 한 사람에게 6개씩 나누어 주면 10개가 남고, 8개씩 나누어 주면 12개가 부족하다고 합니다. 사람 수와 귤 수를 각각 구하시오.

(남고 부족할 때의 차)
➡(남음)+(부족)

풀이

답 ____________________

2 구슬을 몇 사람에게 나누어 주려고 합니다. 한 사람당 8개씩 나누어 주면 14개가 부족하고, 4개씩 나누어 주면 10개가 남는다고 합니다. 사람 수와 구슬 수를 각각 구하시오.

사람 수부터 구해야 합니다.

풀이

답 ____________________

3 사탕을 한 사람에게 4개씩 나누어 주면 7개가 남고, 9개씩 나누어 주면 18개가 부족하다고 합니다. 사탕은 몇 개인지 구하시오.

(사탕 수)
=4×(사람 수)
+(남는 사탕 수)
또는
(사탕 수)
=9×(사람 수)
−(부족한 사탕 수)

풀이

답 ____________________

양쪽 모두 모자랄 때의 차는 11-2로 계산합니다.

4 연필 몇 자루를 친구들과 나누어 가지려고 합니다. 한 사람이 7자루씩 가지면 연필은 11자루가 모자라고, 4자루씩 가지면 연필은 2자루가 모자라게 됩니다. 연필은 몇 자루인지 구하시오.

풀이

답 ______________

양쪽 모두 남을 때의 차는 41-13으로 계산합니다.

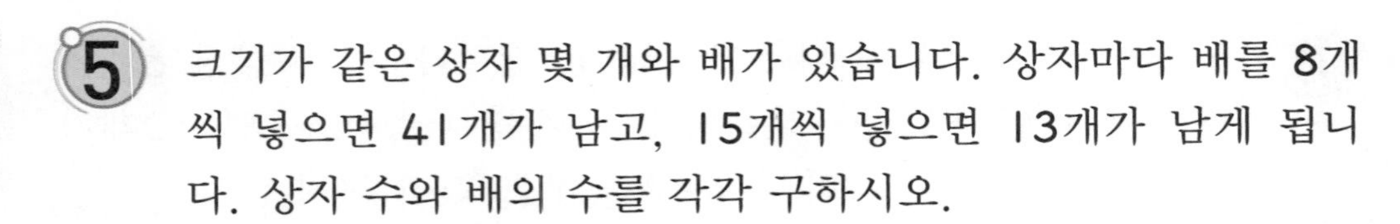

5 크기가 같은 상자 몇 개와 배가 있습니다. 상자마다 배를 8개씩 넣으면 41개가 남고, 15개씩 넣으면 13개가 남게 됩니다. 상자 수와 배의 수를 각각 구하시오.

답 ______________

(용희의 친구 수)
=(사람 수)-1

6 용희는 밤을 친구들과 나누어 가지려고 합니다. 용희를 포함하여 한 사람이 7개씩 갖게 되면 밤은 28개가 모자라고, 3개씩 갖게 되면 밤은 4개가 모자라게 됩니다. 용희의 친구는 몇 명인지 구하시오.

답 ______________

1 색종이를 몇 명의 학생들에게 나누어 주려고 합니다. 한 학생에게 14장씩 나누어 주면 18장이 부족해서 8장씩 나누어 주었더니 꼭 맞게 되었습니다. 색종이는 몇 장인지 구하시오.

> 색종이를 8장씩 나누어 주면 남거나 모자라는 색종이는 없습니다.

풀이

답 ______________

2 지우개를 한 사람당 5개씩 나누어 주면 6개가 남고, 7개씩 나누어 주면 남거나 부족함이 없게 됩니다. 지우개는 몇 개인지 구하시오.

답 ______________

3 한 학생에게 공책을 6권씩 나누어 주면 13권이 모자라고, 1권씩 더 적게 나누어 주면 4권이 모자라게 됩니다. 공책은 몇 권인지 구하시오.

> 6권에서 1권 더 적게 나누어 주면 5권씩 나누어 주는 것과 같습니다.

풀이

답 ______________

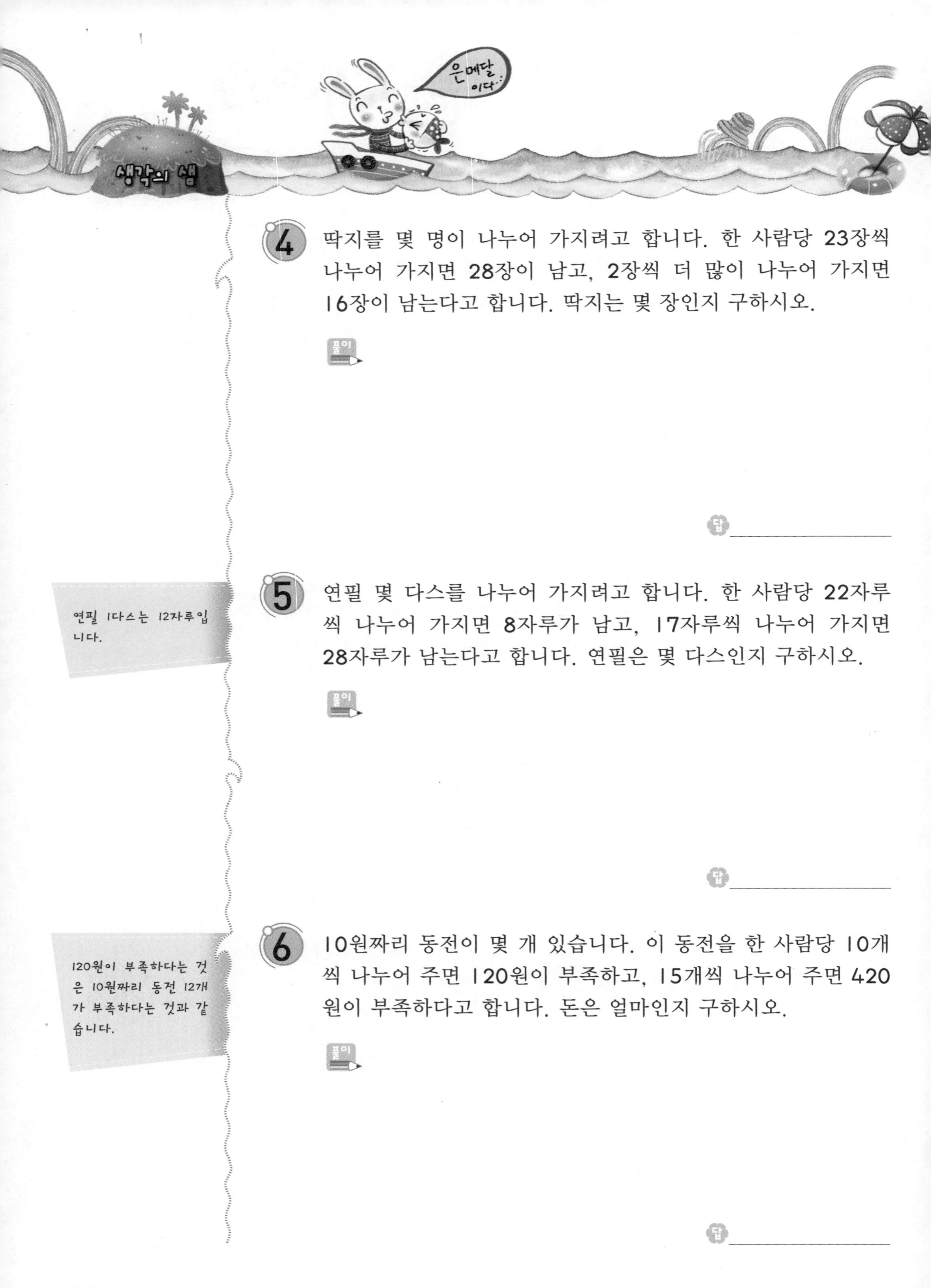

4 딱지를 몇 명이 나누어 가지려고 합니다. 한 사람당 23장씩 나누어 가지면 28장이 남고, 2장씩 더 많이 나누어 가지면 16장이 남는다고 합니다. 딱지는 몇 장인지 구하시오.

풀이

답 ____________

연필 1다스는 12자루입니다.

5 연필 몇 다스를 나누어 가지려고 합니다. 한 사람당 22자루씩 나누어 가지면 8자루가 남고, 17자루씩 나누어 가지면 28자루가 남는다고 합니다. 연필은 몇 다스인지 구하시오.

풀이

답 ____________

120원이 부족하다는 것은 10원짜리 동전 12개가 부족하다는 것과 같습니다.

6 10원짜리 동전이 몇 개 있습니다. 이 동전을 한 사람당 10개씩 나누어 주면 120원이 부족하고, 15개씩 나누어 주면 420원이 부족하다고 합니다. 돈은 얼마인지 구하시오.

풀이

답 ____________

1 긴 의자 몇 개와 학생들이 있습니다. 한 의자에 4명씩 앉으면 의자는 꼭 8개 부족하고, 8명씩 앉으면 의자는 꼭 7개 남는다고 합니다. 학생 수는 몇 명인지 구하시오.

> 의자 수가 꼭 8개 부족하다는 것은 학생 수가 $4 \times 8 = 32$(명) 남는다는 뜻과 같고, 의자 수가 꼭 7개 남는다는 것은 학생 수가 $8 \times 7 = 56$(명) 부족하다는 뜻과 같습니다.

풀이

답 ____________

2 상자 몇 개와 사과가 있습니다. 한 상자에 사과를 14개씩 넣으면 꼭 6상자 부족하고, 20개씩 넣으면 꼭 맞게 사과를 넣게 됩니다. 사과는 모두 몇 개인지 구하시오.

> 꼭 6상자가 부족하다는 것은 사과가 $14 \times 6 = 84$(개) 남는다는 뜻과 같습니다.

풀이

답 ____________

3 서랍에 공책이 몇 권 들어 있습니다. 이것을 몇 명에게 나누어 주는데 한 사람당 4권씩 주면 48권이 남고, 7권씩 주면 30권이 남게 됩니다. 공책을 나머지 없이 꼭맞게 나누어 주려면 한 사람당 몇 권씩 주면 되는지 구하시오.

풀이

답 ____________

총괄 평가 1회

1 한초네 과수원에서는 작년에 포도를 832kg 수확하였고, 올해는 작년보다 189kg을 더 수확하였습니다. 올해에 수확한 포도는 몇 kg인지 구하시오.

풀이

답 ______

2 목장에 말들이 있습니다. 말의 다리를 세어 보니 모두 56개였습니다. 말은 모두 몇 마리인지 구하시오.

풀이

답 ______

3 초콜릿맛 사탕을 한 사람에게 16개씩 35명에게 나누어 주면 7개가 모자라고, 딸기맛 사탕을 21개씩 28명에게 나누어 주면 12개가 남는다고 합니다. 어떤 사탕이 몇 개 더 많은지 구하시오.

풀이

답 ______

4 웅이가 76쪽짜리 책 한 권을 어제와 오늘 이틀 동안 모두 읽었습니다. 어제 읽은 쪽수가 오늘 읽은 쪽수보다 22쪽 더 많다면, 웅이가 어제 읽은 쪽수는 몇 쪽인지 구하시오.

풀이

답 ______

5 낮이 밤보다 4시간 더 긴 날은 낮이 몇 시간인지 구하시오.

답 ________________

6 영수가 수학 공부를 2시간 동안 하고 20분을 쉰 뒤, 다시 영어 공부를 1시간 동안 하였더니 오후 6시가 되었습니다. 영수가 공부를 시작한 시각은 오후 몇 시 몇 분인지 구하시오.

답 ________________

7 지우개 1개와 연필 2자루의 값은 550원이고, 같은 지우개 2개와 연필 2자루의 값은 700원입니다. 지우개 1개와 연필 1자루의 값은 각각 얼마인지 구하시오.

풀이

답 ________________

8 가격이 같은 상자에 구슬을 담아 팔고 있습니다. 구슬 25개가 들어 있는 상자 1개의 값은 850원이고, 같은 구슬 40개가 들어 있는 상자 1개의 값은 1300원입니다. 구슬 15개의 값은 얼마인지 구하시오.

풀이

답 ________________

9 바둑돌을 가로로 10개씩, 세로로 13개씩 빈틈없이 늘어놓아 직사각형을 만들었습니다. 직사각형의 둘레에 놓인 바둑돌은 몇 개인지 구하시오.

풀이

답 ____________

10 길이가 65cm인 종이 테이프가 있습니다. 이 종이 테이프 위에 처음부터 5cm 간격으로 스티커를 붙일 때, 붙인 스티커는 몇 장인지 구하시오. (단, 종이 테이프의 처음과 끝에는 스티커를 붙이지 않습니다.)

풀이

답 ____________

11 가로가 25m, 세로가 23m인 직사각형 모양의 땅이 있습니다. 이 땅의 둘레를 따라 6m 간격으로 나무를 심었습니다. 모두 몇 그루의 나무를 심었는지 구하시오.

풀이

답 ____________

12 다음과 같이 수를 규칙적으로 늘어놓았습니다. 56째 번에 올 수는 무엇인지 구하시오.

3, 5, 2, 7, 0, 3, 5, 2, 7, 0, 3, …

풀이

답 ____________

13 다음은 영수네 모둠 학생들의 턱걸이 횟수를 조사하여 나타낸 표입니다. 학생들의 평균 턱걸이 횟수를 구하시오.

턱걸이 횟수

이름	영수	한초	석기	율기
횟수(회)	10	8	2	4

풀이

답 ________________

14 한솔, 신영, 예슬이의 수학 점수는 각각 80점, 76점, 90점입니다. 세 사람의 평균 점수를 구하시오.

풀이

답 ________________

15 올해 지혜의 나이는 10살, 선생님의 연세는 38세입니다. 선생님의 연세가 지혜의 나이의 3배가 되는 것은 올해부터 몇 년 후인지 구하시오.

풀이

답 ________________

16 올해 효근이와 형의 나이는 각각 10살, 14살입니다. 형의 나이가 효근이의 나이의 2배가 되었던 때는 지금부터 몇 년 전인지 구하시오.

풀이

답 ________________

17 동민이와 규형이는 같은 금액을 내어 사탕 50개를 샀습니다. 동민이가 규형이보다 6개를 더 갖기로 하고 대신에 규형이에게 90원을 주었습니다. 사탕 한 개의 값을 구하시오.

풀이

답 ____________

18 길이가 120m인 열차가 길 옆에 서 있는 신호등을 4초 만에 통과하여 지나갔습니다. 이 열차는 1초에 몇 m를 달린 셈인지 구하시오.

풀이

답 ____________

19 귤을 한 사람에게 8개씩 나누어 주면 12개가 남고, 10개씩 나누어 주면 14개가 부족하다고 합니다. 사람 수와 귤 수를 각각 구하시오.

풀이

답 ____________

20 지우개를 한 사람에게 7개씩 나누어 주면 15개가 남고, 12개씩 나누어 주면 남거나 부족함이 없게 됩니다. 지우개는 몇 개인지 구하시오.

풀이

답 ____________

총괄 평가 2회

1 어떤 수에 8를 곱해야 할 것을 잘못하여 더했더니 41이 되었습니다. 어떤 수는 얼마인지 구하시오.

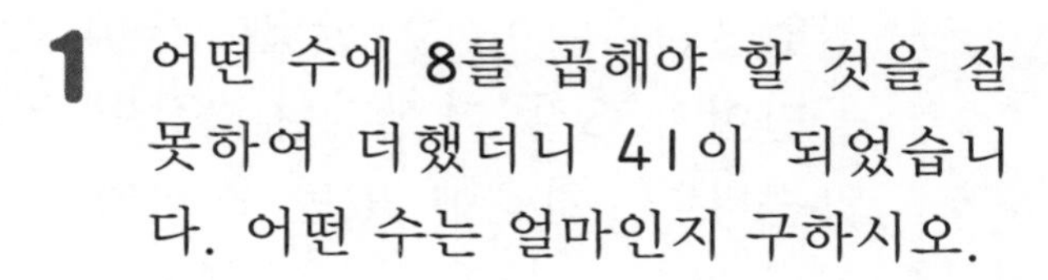

풀이

답 ______________

2 어느 제과점에 크림빵이 247개, 단팥빵이 316개 있습니다. 오늘 크림빵을 156개, 단팥빵을 198개 팔았습니다. 팔고 남은 크림빵과 단팥빵은 각각 몇 개인지 구하시오.

풀이

답 ______________

3 다람쥐 3마리가 하루에 도토리를 6개 먹습니다. 모든 다람쥐가 매일 똑같은 개수의 도토리를 먹는다면 다람쥐 4마리가 도토리 240개를 먹는 데에는 며칠이 걸리는지 구하시오.

풀이

답 ______________

4 다음은 예슬이가 은행에 예금한 돈과 찾은 돈을 나타낸 표입니다. 30일에 통장에 남은 돈은 얼마인지 구하시오.

날짜	예금한 돈	찾은 돈	남은 돈
5일	3200원	·	6930원
15일	·	4350원	
25일	2820원	·	
30일	·	1700원	?

풀이

답 ______________

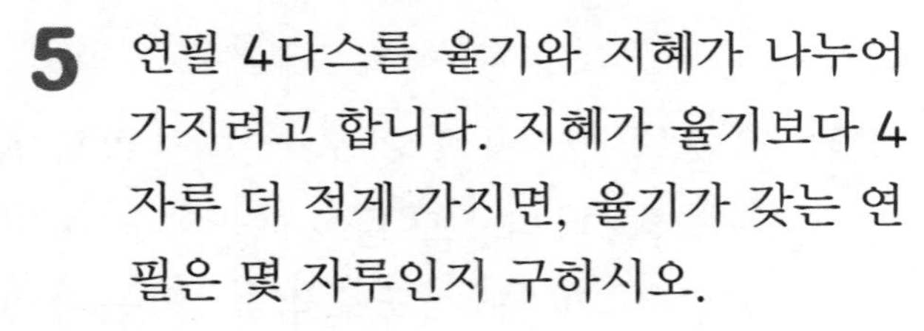

총괄 평가 2회

5 연필 4다스를 율기와 지혜가 나누어 가지려고 합니다. 지혜가 율기보다 4자루 더 적게 가지면, 율기가 갖는 연필은 몇 자루인지 구하시오.

답 ____________

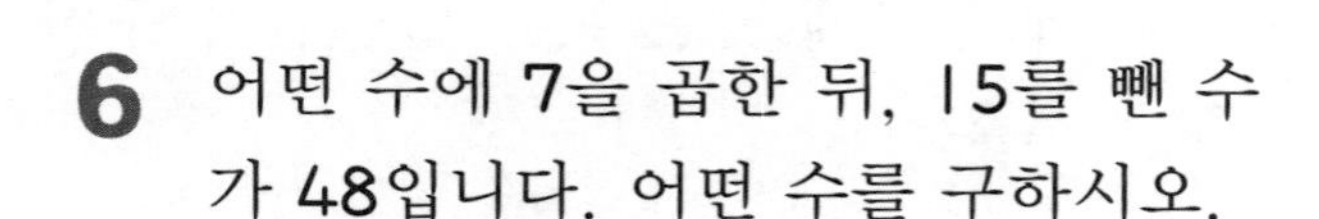

6 어떤 수에 7을 곱한 뒤, 15를 뺀 수가 48입니다. 어떤 수를 구하시오.

답 ____________

7 1장에 30원 하는 스티커가 몇 장 있었습니다. 이 중 한별이가 4장, 동민이가 3장 가졌더니 3장이 남았습니다. 처음에 있던 스티커 전체의 값은 얼마인지 구하시오.

답 ____________

8 가영이는 지우개 3개와 연필 2자루, 색종이 4묶음을 2900원에 샀습니다. 같은 연필 2자루와 색종이 4묶음이 2300원이라면, 지우개 1개의 값은 얼마인지 구하시오.

답 ____________

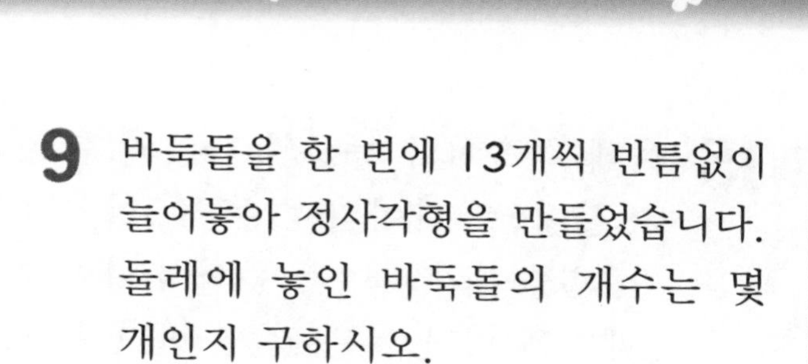

9 바둑돌을 한 변에 13개씩 빈틈없이 늘어놓아 정사각형을 만들었습니다. 둘레에 놓인 바둑돌의 개수는 몇 개인지 구하시오.

답 ____________

10 10원짜리 동전을 가로와 세로 모두 22개씩 빈틈없이 늘어놓아 정사각형을 만들었습니다. 둘레에 놓인 동전의 금액의 합은 얼마인지 구하시오.

답 ____________

11 길이가 84m인 도로의 양쪽에 4m 간격으로 나무를 심으려고 합니다. 나무는 모두 몇 그루 필요한지 구하시오. (단, 도로의 처음과 끝에도 반드시 나무를 심습니다.)

답 ____________

12 다음과 같이 도형을 규칙적으로 늘어놓았습니다. 53개를 늘어놓았을 때, ▣는 몇 개 있는지 구하시오.

▣◈⊙▣▣▣◈⊙▣▣▣◈⊙…

답 ____________

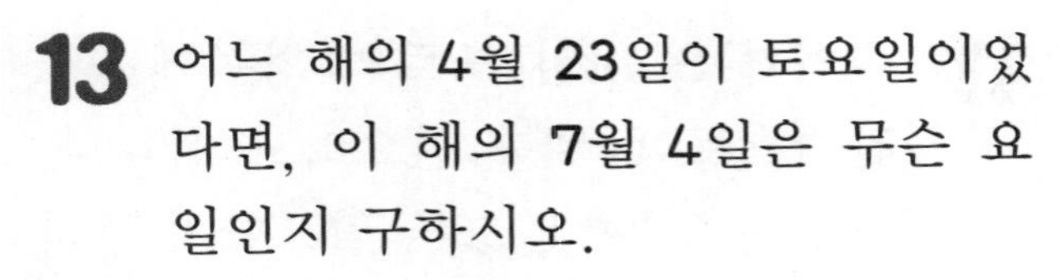

13 어느 해의 4월 23일이 토요일이었다면, 이 해의 7월 4일은 무슨 요일인지 구하시오.

답 ____________

14 웅이는 하루에 평균 600mL의 물을 마신다고 합니다. 일 주일 동안에는 모두 몇 L 몇 mL의 물을 마시는지 구하시오.

답 ____________

15 올해 한솔이와 동생의 나이의 합은 28살이고, 나이의 차는 10살입니다. 한솔이의 나이가 동생의 나이의 3배가 되었던 것은 몇 년 전인지 구하시오.

답 ____________

16 연필을 율기는 15자루, 석기는 23자루 갖고 있었습니다. 석기가 율기에게 연필 몇 자루를 주었더니 두 사람이 가진 연필의 수가 같아졌습니다. 석기는 율기에게 연필을 몇 자루 주었는지 구하시오.

답 ____________

17 카드를 예슬이는 70장, 가영이는 50장을 갖고 있었습니다. 가영이가 예슬이에게 카드 몇 장을 주었더니 예슬이의 카드 수가 가영이의 카드 수의 2배가 되었습니다. 가영이가 예슬이에게 카드를 몇 장 주었는지 구하시오.

풀이

답 ____________

18 길이가 16m인 코끼리 열차가 1초에 4m의 빠르기로 달리고 있습니다. 이 열차가 길 옆에 서 있는 어린이를 완전히 지나는 데 걸리는 시간을 구하시오.

풀이

답 ____________

19 1초에 22m의 빠르기로 달리는 열차가 42초 만에 터널을 완전히 통과하였습니다. 이 열차의 길이가 120m이면 터널의 길이는 몇 m인지 구하시오.

풀이

답 ____________

20 연필 몇 자루를 친구들과 나누어 가지려고 합니다. 한 사람이 5자루씩 갖게 되면 연필은 15자루가 모자라고, 2자루씩 갖게 되면 연필은 3자루가 모자라게 됩니다. 연필은 몇 자루인지 구하시오.

풀이

답 ____________

Memo

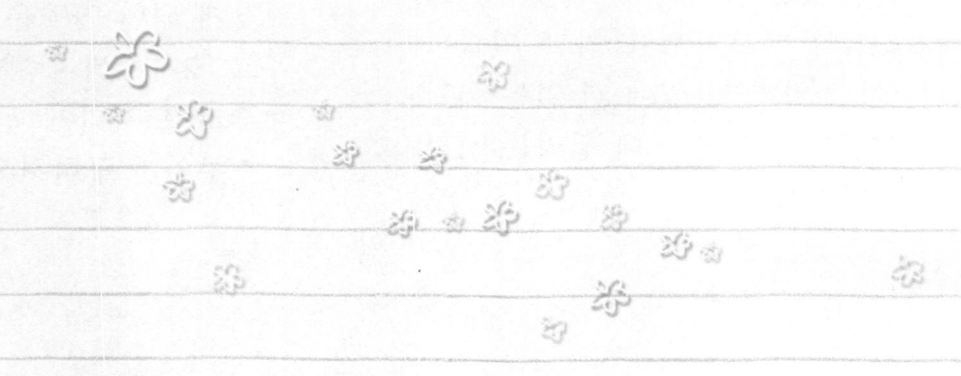

꼭 알아야 할
수학 문장제
!

(주)에듀왕
3 학년이
꼭 알아야 할
나만의 비밀 요점 수첩!
너한테만 살짝 보여 줄게!

수학 문장제
www.왕수학.com
정답과 풀이
!

정답과 풀이

3 학년

1 덧셈식과 뺄셈식 세워 해결하기

확인문제 p. 4

1 312명　　2 149명
3 312－149＝163, 163명

3 (남학생 수)＝(3학년 학생 수)－(여학생 수)이므로 남학생은 312－149＝163(명)입니다.

동메달 따기 p. 5 ~ 6

1 1027통　　2 572m
3 118　　4 441명
5 2707개　　6 709개

1 작년에 수확한 수박 768통에 더 많이 수확한 259통을 더하여 구합니다.
따라서, (올해 수확한 수박의 수)
＝(작년에 수확한 수박의 수)＋259
＝768＋259＝1027(통)입니다.

2 운동장 두 바퀴를 뛴 거리는 운동장 한 바퀴의 거리를 두 번 더한 것과 같으므로
286＋286＝572(m)입니다.
별해
286×2＝572(m)

3 (어떤 수)＋813＝931이므로
(어떤 수)＝931－813＝118입니다.

4 학생 수가 가장 많은 학년은 5학년으로 학생 수는 243명이고, 가장 적은 학년은 1학년으로 학생 수는 198명입니다.
따라서, 243＋198＝441(명)입니다.

5 세 사람이 딴 귤의 수는 예슬, 어머니, 아버지가 딴 귤의 수를 더하여 구합니다.
따라서, 세 사람이 딴 귤은 모두
593＋1139＋975＝2707(개)입니다.

6 1862개에서 어제 판 459개를 뺀 후, 오늘 판 694개를 뺍니다.
따라서, 남은 배는
1862－459－694＝709(개)입니다.

은메달 따기 p. 7 ~ 8

1 720번　　2 635개
3 6651　　4 5810원
5 귤, 122개　　6 248석

1 가영이가 넘은 줄넘기 횟수는 한별이가 넘은 줄넘기 횟수에 148번을 더한 것이므로
286＋148＝434(번)입니다. 따라서, 한별이와 가영이가 넘은 줄넘기 횟수는 모두
286＋434＝720(번)입니다.

2 오늘 만든 인형의 개수는 어제 만든 인형의 개수에서 159개를 뺀 것이므로
397－159＝238(개)입니다. 따라서, 어제와 오늘 이 공장에서 만든 인형은 모두
397＋238＝635(개)입니다.

3 가장 큰 네 자리 수는 9730이고, 가장 작은 네 자리 수는 3079입니다.
따라서, 가장 큰 수와 가장 작은 수의 차는
9730－3079＝6651입니다.

4 한초가 가지고 있는 돈은
3000＋1800＋260＝5060(원)이므로
(예슬이가 가지고 있는 돈)
＝(한초가 가지고 있는 돈)＋750
＝5060＋750＝5810(원)

5 남은 사과는 521개에서 오늘 판 274개를 뺀 것이므로 521－274＝247(개)이고, 남은 귤은 868개에서 오늘 판 499개를 뺀 것이므로
868－499＝369(개)입니다.
따라서, 귤이 369－247＝122(개) 더 많이 남았습니다.

6 전체 900석에서 1학년 학생이 앉는 203석, 2학년 학생이 앉는 221석, 3학년 학생이 앉는 228석을 차례로 빼면 됩니다.
따라서, 빈 좌석은
900－203－221－228＝248(석)입니다.

1, 2, 3학년 학생이 모두 앉는다면
203＋221＋228＝652(석)이 필요하므로
빈 좌석은 900－652＝248(석)입니다.

금메달 따기

p. 9

1 2845　　2 10510원
3 297

1 가장 큰 세 자리 수는 999이므로
●＝999,
■＝999＋213＝1212,
★＝1212－578＝634
따라서,
■＋★＋●＝1212＋634＋999＝2845입니다.

2 규형이는 1850＋790＝2640(원)을 가지고 있고, 예슬이는 1850＋2640＋1530＝6020(원)을 가지고 있습니다.
따라서, 세 사람이 가지고 있는 돈은 모두
1850＋2640＋6020＝10510(원)입니다.

3 (바꾼 수)＋275＝601,
(바꾼 수)＝601－275＝326
따라서, 처음 세 자리 수는 623이므로 처음 세 자리 수와 바꾼 수의 차는 623－326＝297입니다.

2 곱셈식 세워 해결하기

확인문제

p. 10

1 3학년 : 24명, 4학년 : 32명
2 24×15＝360, 360명
3 32×12＝384, 384명

2 3학년 학생은 24명씩 15줄이므로
곱셈식으로 나타내면 24×15＝360(명)입니다.

3 4학년 학생은 32명씩 12줄이므로
곱셈식으로 나타내면 32×12＝384(명)입니다.

동메달 따기

p. 11 ~ 12

1 1056cm　　2 1656쪽
3 896대　　4 420개
5 1296명　　6 20m 75cm

1 벽의 길이는 132cm씩 8번 잰 길이와 같으므로
132×8＝1056(cm)입니다.

2 184쪽씩 9권이므로 184×9＝1656(쪽)입니다.

3 1주일은 7일이므로 7일 동안 만드는 TV 수를 구합니다.
따라서, 128×7＝896(대)입니다.

4 14개씩 30상자이므로 파인애플은 모두
14×30＝420(개)입니다.

5 한 조에 27명씩 48조이므로
27×48＝1296(명)입니다.
따라서, 석기네 학교 학생은 모두 1296명입니다.

6 (필요한 색 테이프의 길이)
＝83×25＝2075(cm) ➡ 20m 75cm
따라서, 색 테이프는 20m 75cm가 필요합니다.

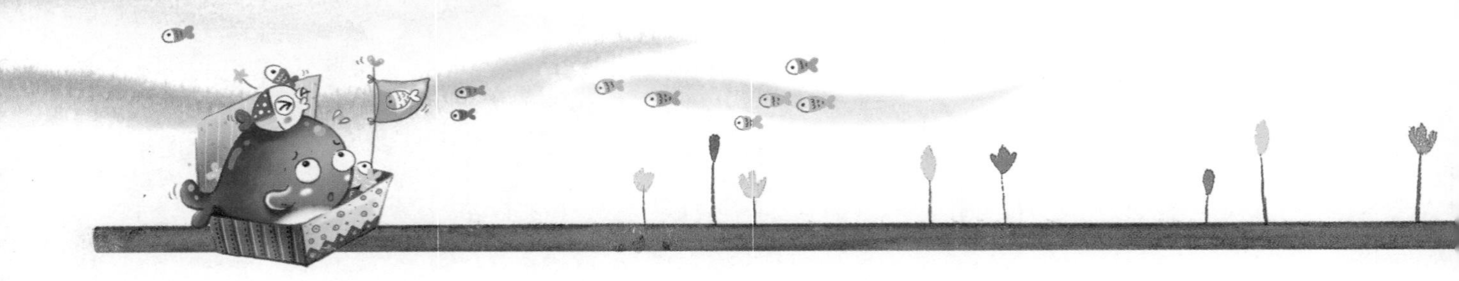

은메달 따기 p. 13 ~ 14

1 264대	2 4
3 $753 \times 9 = 6777$	4 2100개
5 900스푼	6 126개

1 9시간은 3시간의 3배이므로 9시간 동안 만들 수 있는 자전거는 $88 \times 3 = 264$(대)입니다.

2 같은 수를 곱해서 일의 자리의 숫자가 6이 되는 경우는 4 또는 6입니다.
$44 \times 4 = 176$(○), $66 \times 6 = 396$(×)
따라서, □ 안에 알맞은 숫자는 4입니다.

3 ㉠㉡㉢×㉣의 곱이 가장 크려면 ㉣에 가장 큰 수를 놓고, 나머지 숫자 카드로 가장 큰 세 자리 수를 만들면 곱이 가장 큽니다.
따라서, $753 \times 9 = 6777$입니다.

4 한 상자에 들어 있는 배의 수는 14개씩 6봉지이므로 $14 \times 6 = 84$(개)입니다.
따라서, 25상자에 들어 있는 배의 수는 $84 \times 25 = 2100$(개)입니다.

5 (전체 빵 수)$= 20 \times 15 = 300$(개)
(필요한 설탕의 양)$= 3 \times 300 = 900$(스푼)

6 기계 한 대가 20분 동안 장난감 7개를 만들므로 1시간 동안에는 $7 \times 3 = 21$(개)를 만듭니다.
따라서, 기계 6대가 1시간 동안 만드는 장난감은 모두 $21 \times 6 = 126$(개)입니다.

금메달 따기 p. 15

1 5120	2 ●=7, ★=4
3 192마리	

1 $5☆4 = (4 \times 4) \times 5 = 16 \times 5 = 80$이므로
$(5☆4)☆8$
$= 80☆8 = (8 \times 8) \times 80 = 64 \times 80 = 5120$

2 ★×●의 일의 자리의 숫자가 8인 경우, ★과 ●는 1과 8, 2와 4, 2와 9, 3과 6, 4와 7입니다.
$81 \times 18 = 1458$(×), $42 \times 24 = 1008$(×),
$92 \times 29 = 2668$(×), $63 \times 36 = 2268$(×),
$74 \times 47 = 3478$(○)
이므로 ●=7, ★=4입니다.

3 (첫째 날 만든 종이학 수)=3마리,
(둘째 날 만들 종이학 수)$= 3 \times 2 = 6$(마리),
(셋째 날 만들 종이학 수)$= 6 \times 2 = 12$(마리),
(넷째 날 만들 종이학 수)$= 12 \times 2 = 24$(마리),
(다섯째 날 만들 종이학 수)$= 24 \times 2 = 48$(마리),
(여섯째 날 만들 종이학 수)$= 48 \times 2 = 96$(마리),
(일곱째 날 만들 종이학 수)$= 96 \times 2 = 192$(마리)
따라서, 마지막 날 가영이가 만들 종이학은 192마리입니다.

3 나눗셈식 세워 해결하기

확인문제 p. 16

1 $15 \div 3 = 5$, 5마리 2 $15 \div 5 = 3$, 3마리

1 (1분에 접을 수 있는 종이학의 수)
=(접은 종이학의 수)÷(걸린 시간)이므로
$15 \div 3 = 5$(마리)입니다.

동메달 따기 p. 17 ~ 18

1 6칸	2 9마리
3 5모둠	4 3자루
5 16분	6 0, 4, 8

1 42권을 7권씩 묶으면 $42 \div 7 = 6$이므로 책꽂이는 6칸이 필요합니다.

2 말 한 마리의 다리 수는 4개이므로
$36 \div 4 = 9$(마리)입니다.

3 30명을 6명씩 묶으면 $30 \div 6 = 5$이므로
지혜네 반은 모두 5모둠이 됩니다.

4 $59 \div 8 = 7 \cdots 3$이므로 59자루를 8사람에게 최대한 똑같이 나누어 주면 한 사람이 7자루씩 받게 되고, 3자루가 남습니다.
따라서, 석기는 남은 색연필 3자루를 가집니다.

5 1시간 20분은 80분이므로 $80 \div 5 = 16$(분)이 걸린 셈입니다.

6
```
    1▲
 4)6●
   4
   2●
   2●
    0
```
$4 \times ▲ = 2●$이고, 4의 단 곱셈구구에서 곱의 십의 자리의 숫자가 2인 경우는 $4 \times 5 = 20$, $4 \times 6 = 24$, $4 \times 7 = 28$이므로 ● 안에 들어갈 수 있는 숫자는 0, 4, 8입니다.

3 $72 \div 6 = 12$이므로 ㉠$= 12$,
$27 \div 9 = 3$이므로 ㉡$= 3$입니다.
따라서, ㉠$\div$㉡$= 12 \div 3 = 4$입니다.

4 다람쥐 1마리가 하루에 먹는 도토리는
$9 \div 3 = 3$(개)이고, 도토리 84개를 7마리가 먹으므로 한 마리가 먹는 도토리는
$84 \div 7 = 12$(개)입니다.
따라서, $12 \div 3 = 4$(일)이 걸립니다.

5 몫이 가장 작으려면 만들 수 있는 가장 작은 두 자리 수 35를 가장 큰 수 7로 나누는 경우입니다.
따라서, 몫이 가장 작은 경우의 나눗셈식은
$35 \div 7 = 5$입니다.

6 5로 나누어떨어지려면 일의 자리의 숫자는 0 또는 5가 되어야 합니다.
따라서, 5로 나누어떨어지는 두 자리 수는 20, 50, 70, 25, 75로 5개입니다.

은메달 따기 p. 19 ~ 20

1 지혜 : 9cm, 한별 : 13cm
2 16일
3 4
4 4일
5 $35 \div 7 = 5$
6 5개

1 72cm를 똑같이 8도막으로 자르면 한 도막은 $72 \div 8 = 9$(cm)이고,
91cm를 똑같이 7도막으로 자르면 한 도막은 $91 \div 7 = 13$(cm)입니다.
따라서, 지혜가 자른 철사 한 도막의 길이는 9cm이고, 한별이가 자른 철사 한 도막의 길이는 13cm입니다.

2 1주일은 7일이므로 하루에 $42 \div 7 = 6$(쪽)씩 읽었습니다.
따라서, 96쪽을 읽으려면 $96 \div 6 = 16$(일)이 걸립니다.

금메달 따기 p. 21

1 16자루
2 6cm
3 4가지

1 (산 연필의 수)$= 12 \times 8 = 96$(자루)이고,
한초가 가진 연필은 $96 \div 3 = 32$(자루)입니다.
따라서, 한초는 동생에게 32자루의 반인
$32 \div 2 = 16$(자루)를 주었습니다.

2 정사각형 모양 한 개를 만드는 데 사용한 철사의 길이는 $72 \div 3 = 24$(cm)이므로 만들어진 정사각형의 한 변의 길이는 $24 \div 4 = 6$(cm)입니다.

3 $42 \div 8 = 5 \cdots 2$, $48 \div 2 = 24$, $24 \div 8 = 3$, $28 \div 4 = 7$, $84 \div 2 = 42$, $82 \div 4 = 20 \cdots 2$ 이므로 나누어떨어지는 나눗셈은 $48 \div 2 = 24$, $24 \div 8 = 3$, $28 \div 4 = 7$, $84 \div 2 = 42$로 모두 4가지입니다.

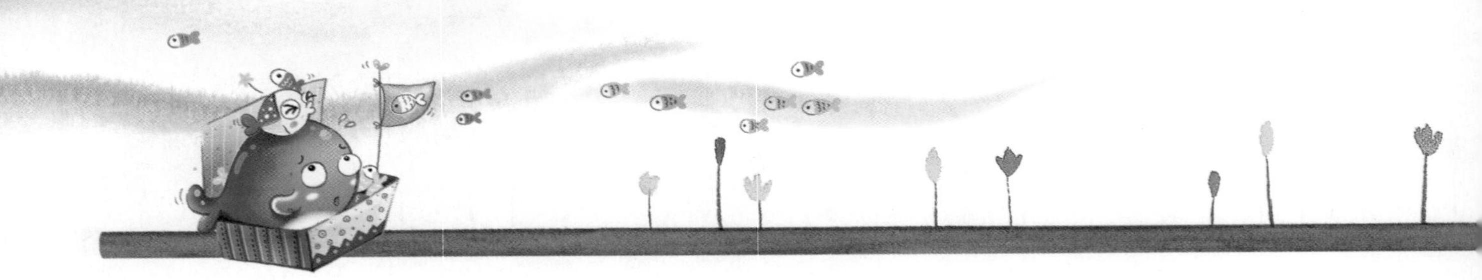

4 혼합 계산식 세워 해결하기

확인문제 p. 22

1 835명
2 $835-379=456$, 456명
3 $835-379+184=640$, 640명

2 379명이 내렸으므로 뺄셈식을 만듭니다.
$835-379=456$(명)

3 내린 사람은 빼고, 타는 사람은 더하는 것으로
$835-379+184=640$(명)입니다.

동메달 따기 p. 23 ~ 24

1 5050	2 6133명
3 1481개	4 760원
5 21개	6 13분

1 가장 큰 수는 5629이고, 가장 작은 수는 3217이므로 $5629+3217$에서 남은 수 3796을 빼서 구합니다.
따라서, $5629+3217-3796=5050$입니다.

2 어린이와 어른의 수를 더한 후, 여자의 수를 빼서 구합니다.
따라서, 남자는 모두
$1786+6245-1898=6133$(명)입니다.

3 상자에 넣은 딸기는 $54\times27=1458$(개)이고, 23개가 남았으므로 딸기는 모두
$1458+23=1481$(개)입니다.
이를 하나의 식으로 나타내면
$(54\times27)+23=1481$(개)입니다.

4 도화지 64장의 값은 $35\times64=2240$(원)이므로 거스름돈은 $3000-2240=760$(원)입니다.
이를 하나의 식으로 나타내면
(거스름돈)$=3000-$(도화지 값)
$=3000-35\times64=760$(원)

5 배는 모두 $14\times6=84$(개)이고, 이 배를 4사람에게 똑같이 나누어 주면
한 사람은 $84\div4=21$(개)씩 가지게 됩니다.
이를 하나의 식으로 나타내면
$14\times6\div4=21$(개)입니다.

6 한초와 가영이가 1분에 $3+4=7$(개)의 종이배를 접을 수 있으므로 91개의 종이배를 접으려면
$91\div7=13$(분)이 걸립니다.
이를 하나의 식으로 나타내면
$91\div(3+4)=13$(분)입니다.

은메달 따기 p. 25 ~ 26

1 14줄	2 9개
3 몫 : 16, 나머지 : 5	
4 6660원	5 22개
6 945	

1 (운동장에 모인 학생 수)$=8\times11-4=84$(명)
(줄의 수)$=84\div6=14$(줄)

2 (4명씩인 조의 수)$=(33-3\times3)\div4=6$(개)
따라서, 예슬이네 반 전체의 조는 3명씩인 조가 3개, 4명씩인 조가 6개이므로 모두
$3+6=9$(개)의 조가 됩니다.

3 어떤 수를 6으로 나누었더니 몫은 24, 나머지는 5이므로 (어떤 수)$=6\times24+5=149$입니다.
따라서, 바르게 계산하면 $149\div9=16\cdots5$이므로 몫은 16이고, 나머지는 5입니다.

4 30일에 통장에 남은 돈은 5일에 남은 돈에서 15일에 찾은 돈을 빼고, 다시 25일에 예금한 돈을 합하고, 30일에 찾은 돈을 빼서 구합니다.
따라서, 30일에 통장에 남은 돈은 $7360-3850+4800-1650=6660$(원)입니다.

5 한별이와 동생이 먹고 남은 사탕은
$40-(11+7)=22$(개)이므로 한별이는
$22\div2=11$(개)의 사탕이 남았습니다.
따라서, 한별이는 처음에 $11+11=22$(개)의 사탕을 가졌습니다,

6 먼저, 8★5를 계산하면
$8★5=(8-5)\times(8+5)=3\times13=39$이고,
$39★24=(39-24)\times(39+24)$
$=15\times63=945$

금메달 따기 p. 27

1 7명 2 1097mm
3 30600원

1 연필은 모두 $12\times5+8=68$(자루)이고, 5자루가 남았으므로 5자루를 뺀 나머지 연필은 한 학생에게 9자루씩 나누어 준 것입니다.
따라서, $(68-5)\div9=7$(명)입니다.

2 색 테이프 5장을 붙일 때, 겹쳐지는 부분은 4번이므로 $(237\times5)-(22\times4)=1097$(mm)
별해
한 장을 더 붙일 때마다
$237-22=215$(mm)씩 늘어납니다.
따라서, $237+215\times4=1097$(mm)

3 매달 100원씩 더 받으므로 한초가 12월에 받은 용돈은 $2000+100\times11=3100$(원)입니다.

1월	2월	3월	4월	5월	6월	7월	8월	9월	10월	11월	12월
2000	2100	2200	2300	2400	2500	2600	2700	2800	2900	3000	3100

1월과 12월, 2월과 11월, 3월과 10월, … 2달씩 묶은 돈의 합은 5100원씩 6번입니다. 따라서, 한초가 12월까지 1년 동안 받는 용돈은 모두 $5100\times6=30600$(원)입니다.

5 합과 차를 이용하여 해결하기

확인문제 p. 28

1 107, 13 2 60권

2 $(107+13)\div2=60$(권)

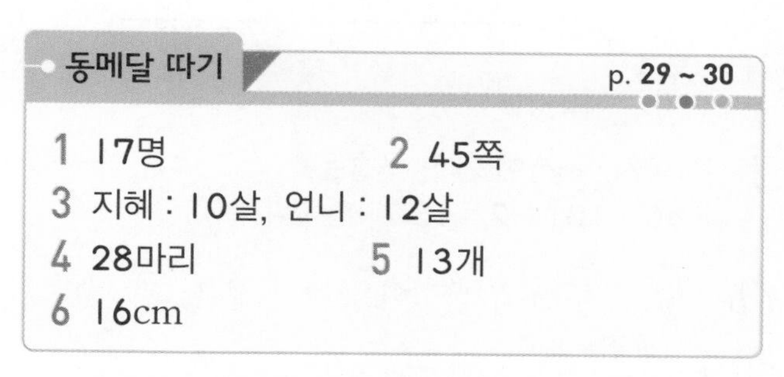

동메달 따기 p. 29 ~ 30

1 17명 2 45쪽
3 지혜 : 10살, 언니 : 12살
4 28마리 5 13개
6 16cm

1 가영이네 반 여학생 수와 남학생 수를 각각 선분으로 나타내어 보면,

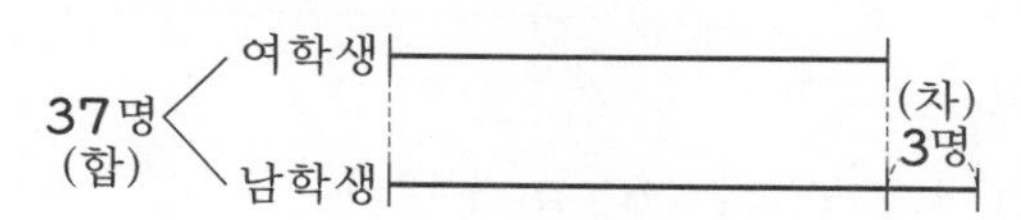

따라서, 가영이네 반 여학생은
$(37-3)\div2=17$(명)입니다.

2 규형이가 어제 읽은 쪽수와 오늘 읽은 쪽수를 각각 선분으로 나타내어 보면,

따라서, 규형이가 어제 읽은 쪽수는
$(78+12)\div2=45$(쪽)입니다.

3 지혜의 나이와 언니의 나이를 각각 선분으로 나타내어 보면,

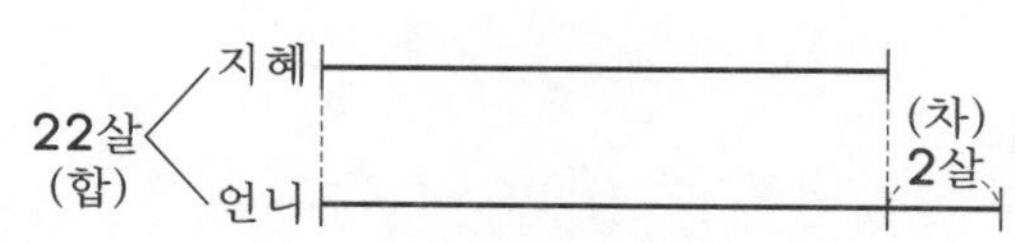

따라서, 지혜의 나이는 $(22-2)\div2=10$(살)이고, 언니의 나이는 $22-10=12$(살)입니다.

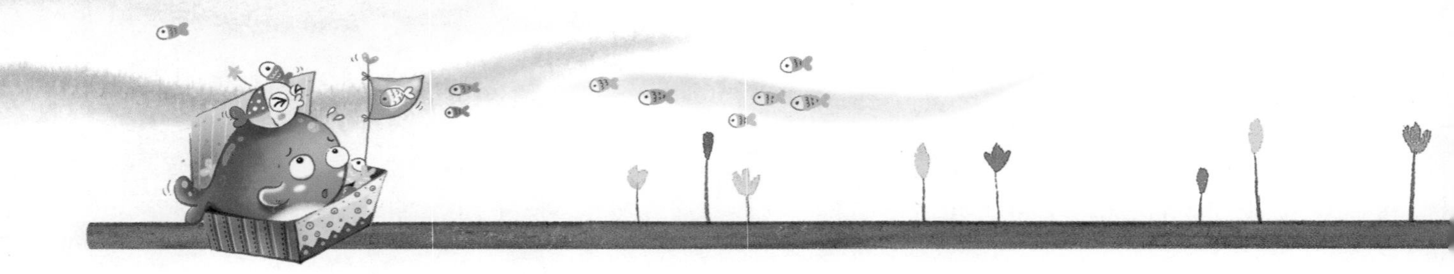

4 한초와 영수가 접은 종이학의 수를 각각 선분으로 나타내어 보면,

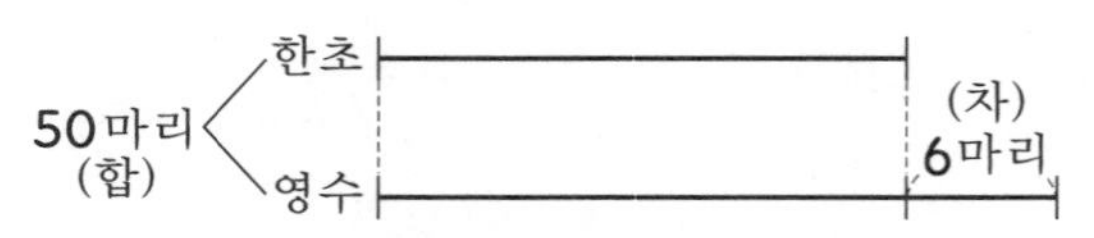

따라서, 영수가 접은 종이학은
$(50+6)\div2=28$(마리)입니다.

5 한별이와 동생이 가진 구슬의 수를 각각 선분으로 나타내어 보면,

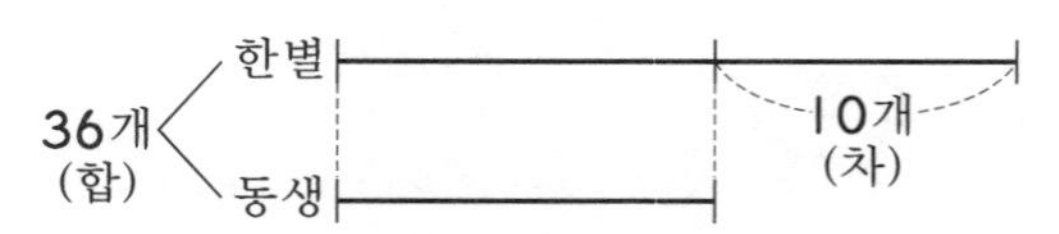

따라서, 동생이 가진 구슬은
$(36-10)\div2=13$(개)입니다.

6 부러진 두 조각의 길이를 각각 선분으로 나타내어 보면,

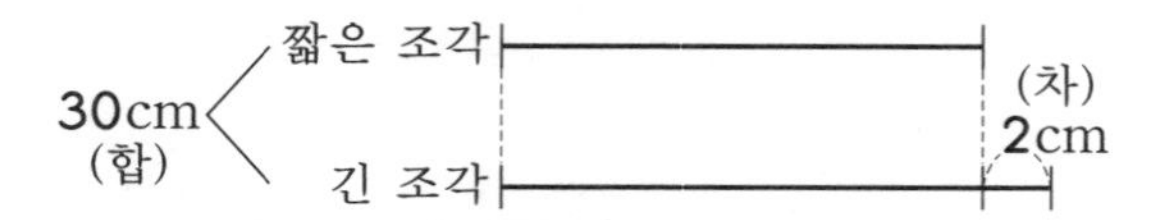

따라서, 긴 조각의 길이는
$(30+2)\div2=16$(cm)입니다.

은메달 따기 p. 31 ~ 32

1 44, 45	2 13시간
3 9통	4 500원
5 32개	6 35자루

1 연속하는 두 자연수의 차는 1이므로 두 자연수를 각각 선분으로 나타내어 보면

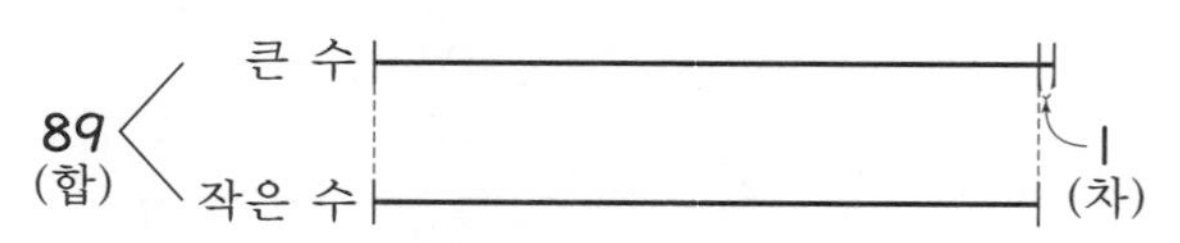

따라서, 큰 수는 $(89+1)\div2=45$이고, 작은 수는 $89-45=44$입니다.

2 하루는 24시간이므로

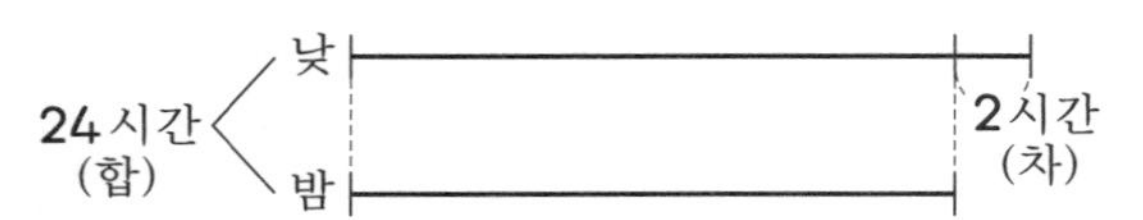

따라서, 낮 시간은 $(24+2)\div2=13$(시간)입니다.

3 어제와 오늘 판 멜론 상자의 수를 각각 선분으로 나타내어 보면,

따라서, 오늘 판 멜론 상자는
$(5+1)\div2=3$(상자)이므로 오늘 판 멜론은 모두 $3\times3=9$(통)입니다.

4 영수와 가영이가 모은 동전의 수를 각각 선분으로 나타내어 보면,

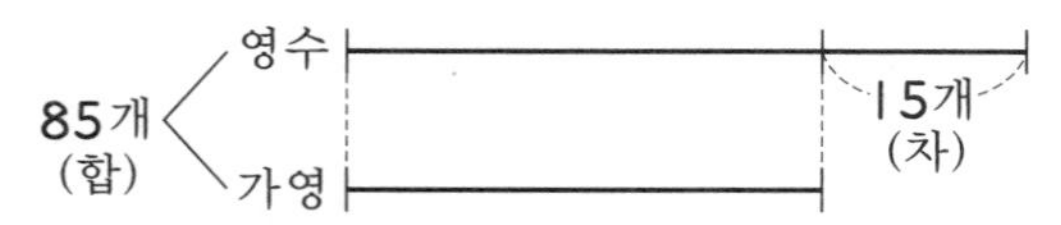

따라서, 영수가 모은 동전은
$(85+15)\div2=50$(개)이므로
영수가 모은 돈은 $10\times50=500$(원)입니다.

5 한 봉지에 6개씩 12봉지이면 초콜릿의 수는
$6\times12=72$(개)입니다.
석기와 한초가 가질 초콜릿의 수를 각각 선분으로 나타내어 보면,

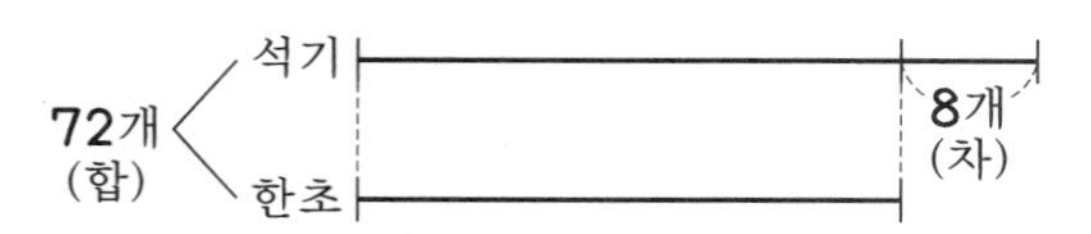

따라서, 한초가 갖는 초콜릿은
$(72-8)\div2=32$(개)입니다.

6 연필 5다스는 $12\times5=60$(자루)이고, 율기와 지혜가 가질 연필의 수를 각각 선분으로 나타내어 보면,

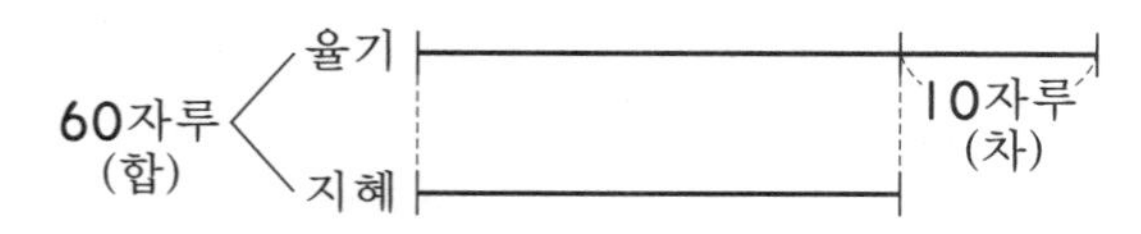

따라서, 율기가 갖는 연필은
(60+10)÷2=35(자루)입니다.

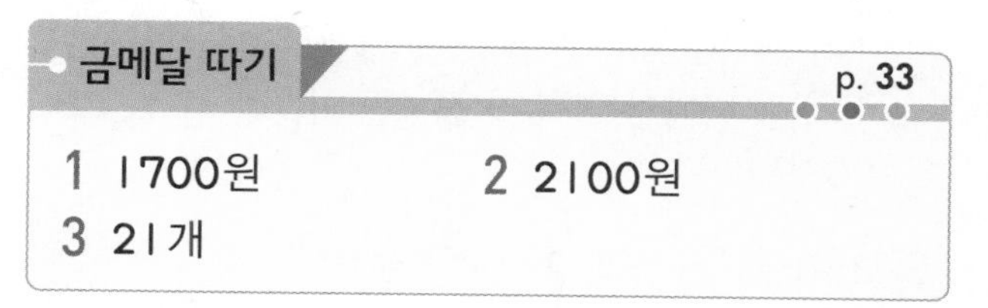

금메달 따기

p. 33

1 1700원　　2 2100원
3 21개

1 50원짜리 동전의 수와 100원짜리 동전의 수를 각각 선분으로 나타내어 보면,

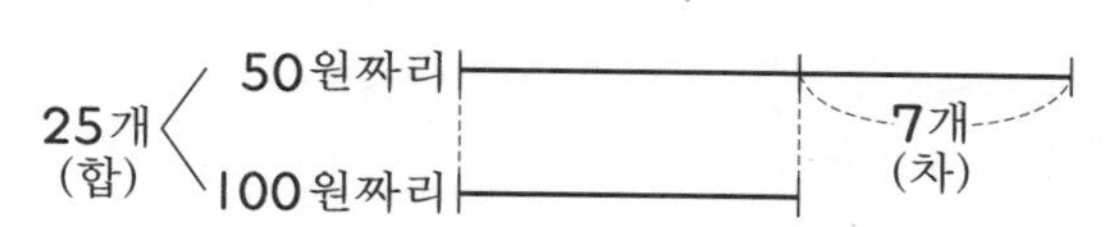

50원짜리 동전은 (25+7)÷2=16(개)이고,
100원짜리 동전은 25−16=9(개)입니다.
따라서, 저금통에 들어 있는
돈은 모두
50×16+100×9=1700(원)입니다.

2 동민이가 사려는 장미의 수와 국화의 수를 각각 선분으로 나타내어 보면,

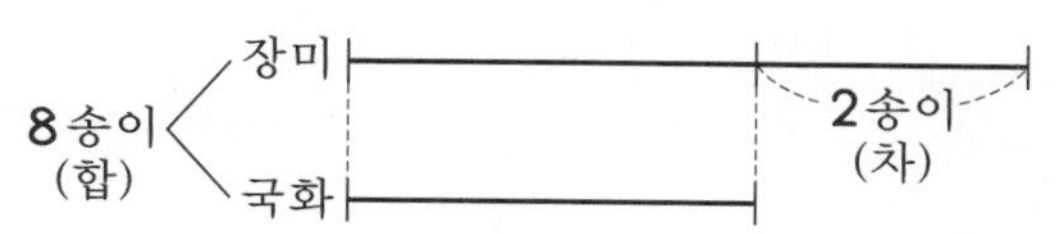

장미는 (8+2)÷2=5(송이),
국화는 8−5=3(송이)입니다.
따라서, 동민이가 내야 할 돈은
300×5+200×3=2100(원)입니다.

3 두 기계에서 한 시간에 만들어지는 장난감의 수를 각각 선분으로 나타내어 보면

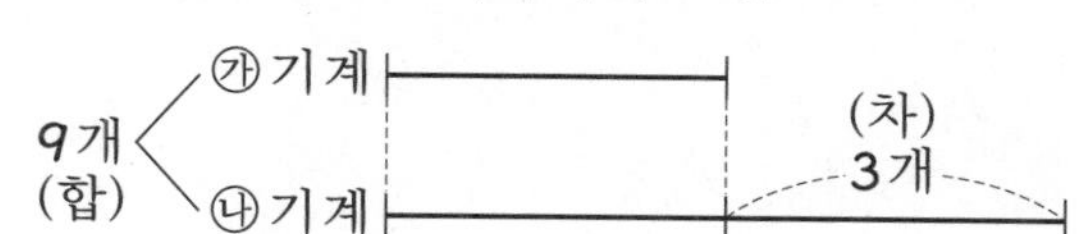

㉮ 기계가 한 시간에 만들어 내는 장난감은
(9−3)÷2=3(개)입니다.
따라서, ㉮ 기계에서 63÷9=7(시간) 동안 만들어 낸 장난감은 3×7=21(개)입니다.

6 거꾸로 생각하여 해결하기

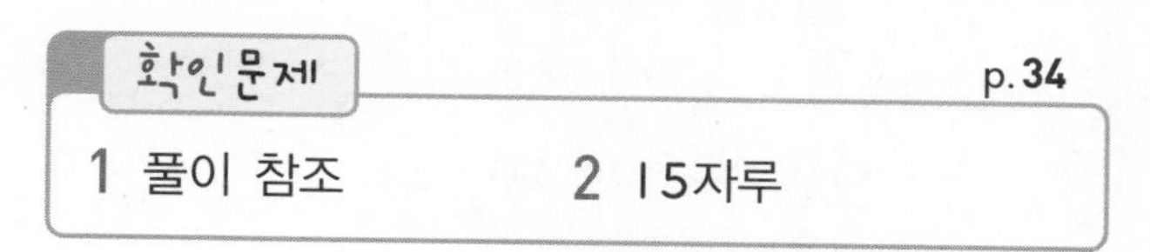

확인문제

p. 34

1 풀이 참조　　2 15자루

1 [15] —(−[5])→ [10] —(−8)→ [2]
[15] ←(+5)— [10] ←(+[8])— [2]

동메달 따기

p. 35 ~ 36

1 25　　2 42
3 81　　4 50개
5 400원　　6 304

1 문제를 그림으로 나타내면

[㉮] —(×3)→ [㉯] —(+4)→ [79]
[㉮] ←(÷3)— [㉯] ←(−4)— [79]

㉯에 들어갈 수는 79−4=75, ㉮에 들어갈 수는 75÷3=25입니다.
따라서, 어떤 수는 25입니다.

2 문제를 그림으로 나타내면

[㉮] —(−12)→ [㉯] —(÷6)→ [5]
[㉮] ←(+12)— [㉯] ←(×6)— [5]

㉯에 들어갈 수는 5×6=30, ㉮에 들어갈 수는 30+12=42입니다.
따라서, 어떤 수는 42입니다.

3 문제를 그림으로 나타내면

[㉮] —(÷9)→ [㉯] —(+5)→ [14]
[㉮] ←(×9)— [㉯] ←(−5)— [14]

㉯에 들어갈 수는 14−5=9, ㉮에 들어갈 수는 9×9=81입니다.
따라서, 어떤 수는 81입니다.

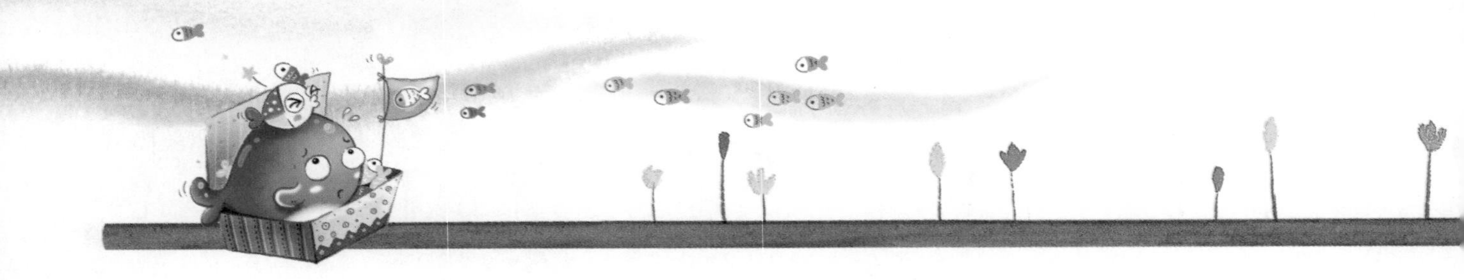

4 문제를 그림으로 나타내면

㉮	−19 → ← +19	㉯	−20 → ← +20	11

㉯에 들어갈 수는 11+20=31, ㉮에 들어갈 수는 31+19=50입니다.
따라서, 선생님께서 처음에 가지고 계셨던 구슬은 50개입니다.

5 문제를 그림으로 나타내면

㉮	−7 → ← +7	㉯	−9 → ← +9	4

㉯에 들어갈 수는 4+9=13, ㉮에 들어갈 수는 13+7=20이므로 처음에 있던 스티커는 모두 20장입니다. 따라서, 처음에 있던 스티커의 값은 20×20=400(원)입니다.

6 문제를 그림으로 나타내면

㉮	×5 → ← ÷5	㉯	+121 → ← −121	311

㉯에 들어갈 수는 311−121=190, ㉮에 들어갈 수는 190÷5=38입니다. 따라서, 어떤 수는 38이고, 8을 곱하면 38×8=304입니다.

은메달 따기 p. 37 ~ 38

1 20
2 2시 20분
3 3500원
4 1200원
5 한초 : 23개, 석기 : 12개
6 10장

1 문제를 그림으로 나타내면

㉮	÷4 → ← ×4	㉯	−2 → ← +2	㉰	×5 → ← ÷5	15

㉰에 들어갈 수는 15÷5=3, ㉯에 들어갈 수는 3+2=5, ㉮에 들어갈 수는 5×4=20입니다.
따라서, 어떤 수는 20입니다.

2 문제를 그림으로 나타내면

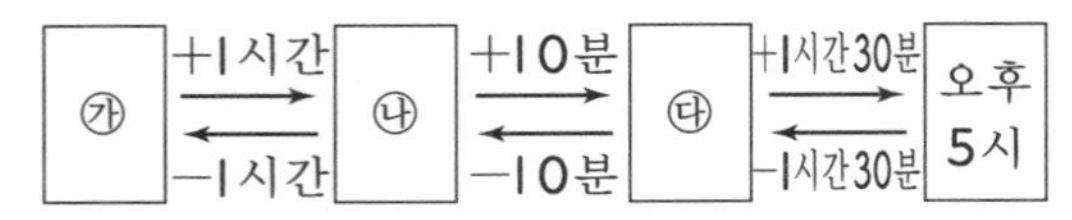

㉰에 들어갈 시각은 5시−1시간 30분=3시 30분, ㉯에 들어갈 시각은 3시 30분−10분=3시 20분, ㉮에 들어갈 시각은 3시 20분−1시간=2시 20분입니다. 따라서, 영수가 공부를 시작한 시각은 2시 20분입니다.

3 350원짜리 연필 2자루의 값은
350×2=700(원)이고, 500원짜리 공책 3권의 값은 500×3=1500(원)이므로 문제를 그림으로 나타내면

㉮	−700 → ← +700	㉯	−1500 → ← +1500	1300

㉯에 들어갈 수는 1300+1500=2800, ㉮에 들어갈 수는 2800+700=3500입니다.
따라서, 석기가 어머니께 받은 용돈은 3500원입니다.

4 문제를 그림으로 나타내면

㉮	−6 → ← +6	㉯	−15 → ← +15	9

㉯에 들어갈 수는 9+15=24, ㉮에 들어갈 수는 24+6=30입니다.
따라서, 한초가 처음에 산 색지는 30장이고, 색지 1장의 값은 80÷2=40(원)이므로 한초가 처음에 산 색지의 값은 40×30=1200(원)입니다.

5

	한초	석기
마지막에 가지고 있는 구슬 수(개)	19	16
석기가 한초에게 주기 전 (개)	16	19
한초가 석기에게 주기 전 (개)	23	12

따라서, 처음에 한초는 23개, 석기는 12개의 구슬을 가지고 있었습니다.

6 가영이에게 주고 남은 스티커의 수를 ①로 생각하면, 더 산 스티커의 수는 ⑤이므로, 스티커 42

장은 율기가 가영이에게 주고 남은 스티커의 6배와 같습니다.
따라서, 율기가 가영이에게 주고 남은 스티커는 42÷6=7(장)입니다.
그러므로, 율기가 처음에 가지고 있던 스티커는 7+3=10(장)입니다.

①:(8−3)×2=10(개)
②:10×2=20(개)
따라서, 예슬이가 처음에 가지고 있던 사탕은 (8−3)×2×2=20(개)입니다.

금메달 따기 p. 39

1 40개　　2 2000원
3 20개

1 문제를 그림으로 나타내면

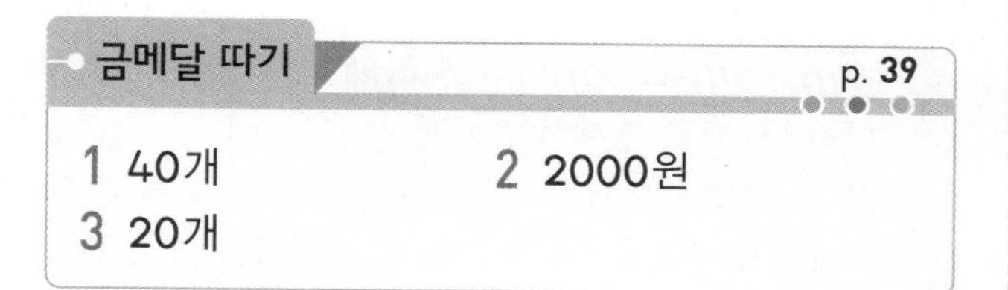

①:10×2=20(개)
②:20×2=40(개)
따라서, 상연이가 처음에 산 초콜릿은 10×2×2=40(개)입니다.

2 문제를 그림으로 나타내면

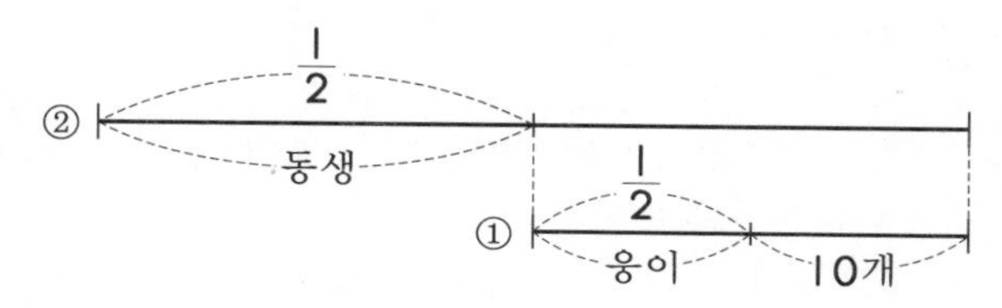

①:(400+100)×2=1000(원)
②:1000×2=2000(원)
따라서, 동민이가 처음에 가지고 있던 돈은 (400+100)×2×2=2000(원)입니다.

3 문제를 그림으로 나타내면

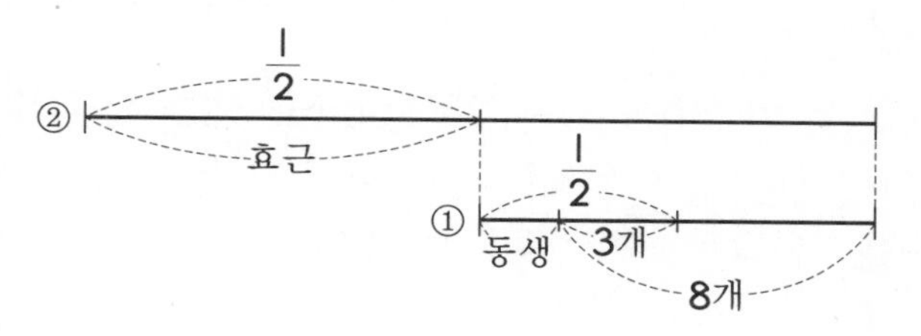

7 한쪽을 지워서 해결하기

확인문제 p.40

1 오이 3개만큼의 차이가 납니다.
2 300원

2 오이 3개의 값이 2000−1100=900(원)이므로 오이 1개의 값은 300원입니다.

동메달 따기 p. 41 ~ 42

1 500원　　2 400원
3 300원
4 지우개 : 200원, 연필 : 150원
5 200원　　6 21cm

1 음악 공책 3권과 영어 공책 3권은 음악 공책 2권과 영어 공책 3권과의 관계에서 음악 공책 1권만큼의 차이가 납니다. 따라서, 음악 공책 1권의 값은 2700−2200=500(원)입니다.

2 공책 3권과 연필 2자루는 공책 4권과 연필 2자루와의 관계에서 공책 1권만큼의 차이가 납니다. 따라서, 공책 1권의 값은
2000−1600=400(원)입니다.

3 구슬 3개와 주사위 5개는 구슬 3개와 주사위 7개와의 관계에서 주사위 2개만큼의 차이가 납니다. 따라서, 주사위 2개의 값은
1350−1050=300(원)입니다.

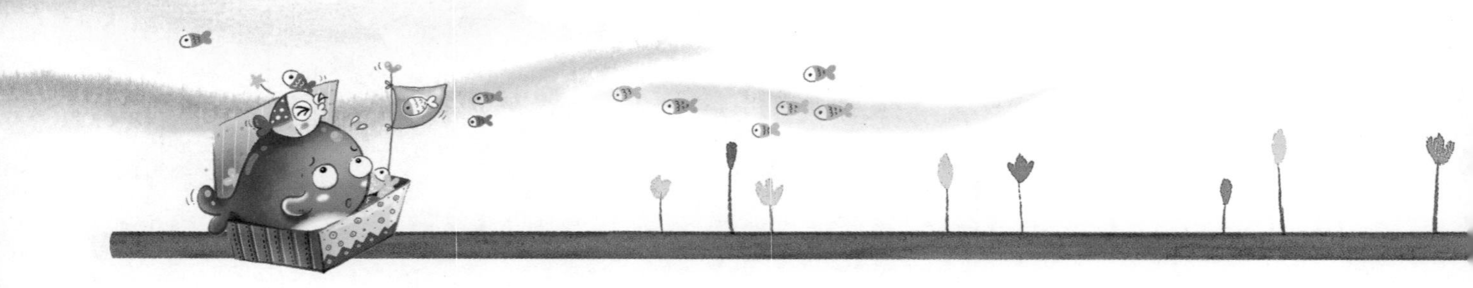

4 지우개 1개와 연필 1자루는 지우개 1개와 연필 2자루와의 관계에서 연필 1자루만큼의 차이가 납니다. 따라서, 연필 1자루의 가격은
500−350=150(원)이고, 지우개 1개의 가격은 350−150=200(원)입니다.

5 귤 8개와 키위 5개는 귤 8개와 키위 2개와의 관계에서 키위 3개만큼의 차이가 납니다. 따라서, 키위 3개의 가격은 3000−2400=600(원)이므로 키위 1개의 가격은 200원입니다.

6 사각형 1개만큼의 차이가 납니다.
따라서, 사각형 1개의 변의 길이의 합은
110−103=7(cm)이고, 사각형 3개의 변의 길이의 합은 7×3=21(cm)입니다.

은메달 따기 p. 43 ~ 44

1 150원	2 1000원
3 5000원	4 100원
5 50cm	6 1L 200mL

1 구슬 40개가 들어 있는 상자와 구슬 30개가 들어 있는 상자는 구슬 10개만큼의 차이가 납니다.
따라서, 구슬 10개의 값은
1500−1200=300(원)이므로 구슬 5개의 값은 150원입니다.

2 사탕 8개가 들어 있는 상자와 사탕 16개가 들어 있는 상자는 사탕 8개만큼의 차이가 나므로 사탕 8개의 가격은 3400−2200=1200(원)입니다.
따라서, 상자만의 값은
2200−1200=1000(원)입니다.

3 기름 2L를 담은 통과 기름 3L를 담은 통은 기름 1L만큼의 차이가 나므로 기름 1L의 가격은
9500−8000=1500(원)입니다.
따라서, 기름 2L의 가격이
1500+1500=3000(원)이므로 빈 통의 가격은 8000−3000=5000(원)입니다.

4 지우개 5개와 연필 4자루, 색종이 4묶음은 연필 4자루와 색종이 4묶음과의 관계에서 지우개 5개만큼의 차이가 납니다. 따라서, 지우개 5개의 값은 1900−1400=500(원)이므로 지우개 1개의 값은 100원입니다.

5 장난감 안경 3개와 장난감 자전거 2개는 장난감 안경 3개와 장난감 자전거 1개와의 관계에서 장난감 자전거 1개만큼의 차이가 납니다.
장난감 자전거 1개를 만드는 데 필요한 철사는
390−270=120(cm)입니다.
따라서, 장난감 안경 3개를 만드는 데 필요한 철사는 390−240=150(cm)이므로 장난감 안경 1개를 만드는 데 필요한 철사는 50cm입니다.

6 우유 4통과 주스 3통은 우유 2통과 주스 3통과의 관계에서 우유 2통만큼의 차이가 납니다.
따라서, 우유 2통의 들이의 합은
2L 300mL−1L 900mL=400mL이므로
우유 6통의 들이의 합은
400mL+400mL+400mL=1L 200mL
입니다.

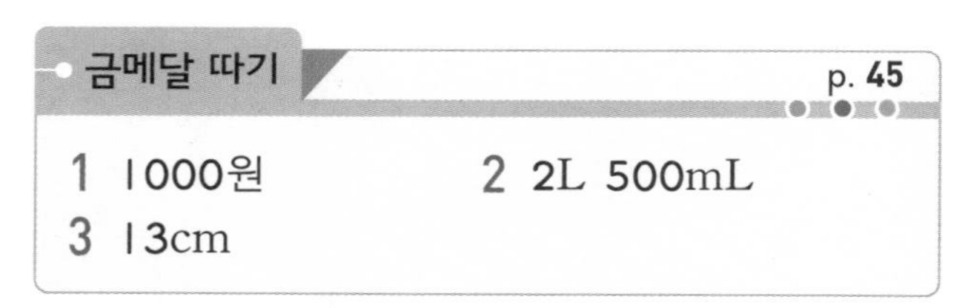

금메달 따기 p. 45

1 1000원	2 2L 500mL
3 13cm	

1 어른 2명과 어린이 1명의 입장료가 4000원이므로 어른 4명과 어린이 2명의 입장료는
4000+4000=8000(원)입니다.
따라서, 어린이 1명의 입장료는
9000−8000=1000(원)입니다.

2 작은 물통 3개와 큰 물통 2개의 들이의 합이 17L 500mL이므로 작은 물통 6개와 큰 물통 4개의 들이의 합은
17L 500mL+17L 500mL=35L입니다.
따라서, 작은 물통 2개의 들이는 35−30=5(L)이므로 작은 물통 1개의 들이는 2L 500mL입니다.

3 빨간색 끈 3개와 파란색 끈 2개를 연결하면 겹치는 부분은 4군데 생기고, 그 길이는 $6\times4=24$(cm)이므로 겹치는 부분 없이 연결했을 때의 길이는 $63+24=87$(cm)입니다.
같은 빨간색 끈 2개와 파란색 끈 2개를 연결하면 겹치는 부분은 3군데 생기고, 그 길이는 $4\times3=12$(cm)이므로 겹치는 부분 없이 연결했을 때의 길이는 $62+12=74$(cm)입니다.
따라서, 빨간색 끈 1개의 길이는 $87-74=13$(cm)입니다.

8 바둑돌 늘어놓기 유형 해결하기

확인문제 p.46

1 9개　　2 8개
3 32개

2 한 묶음에는 구슬이 한 변에 놓인 구슬의 개수보다 1개 더 적게 있습니다.

3 (둘레에 놓인 구슬의 개수)
$=\{$(한 변에 놓인 구슬의 개수)$-1\}\times4$
$=(9-1)\times4=8\times4=32$(개)

동메달 따기 p. 47 ~ 48

1 40개　　2 56개
3 88개　　4 13개
5 21개　　6 42개

1 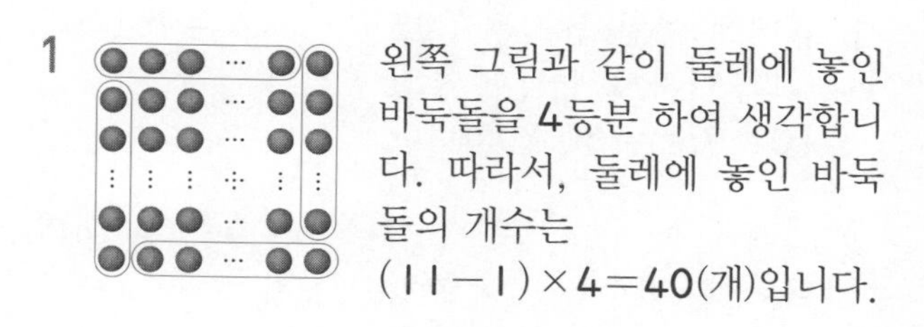
왼쪽 그림과 같이 둘레에 놓인 바둑돌을 4등분 하여 생각합니다. 따라서, 둘레에 놓인 바둑돌의 개수는 $(11-1)\times4=40$(개)입니다.

2 $(15-1)\times4=56$(개)

3 한 변에 놓인 구슬의 개수가 23개이므로 둘레에 놓인 구슬은 $(23-1)\times4=88$(개)입니다.

4 (한 변에 놓인 바둑돌의 개수)
$=\{$(둘레에 놓인 바둑돌의 개수)$\div4\}+1$
$=(48\div4)+1=12+1=13$(개)
따라서, 가장 바깥쪽의 한 변에 놓인 바둑돌은 13개입니다.

5 $(80\div4)+1=20+1=21$(개)이므로 가장 바깥쪽의 한 변에 놓인 구슬은 21개입니다.

6 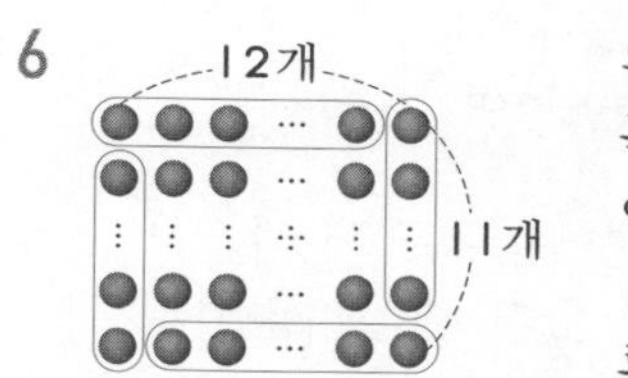

왼쪽 그림에서 볼 때, 한 묶음에 $12-1=11$(개)인 것과 한 묶음에 $11-1=10$(개)인 두 종류의 묶음이 있습니다.
따라서, $\{(12-1)+(11-1)\}\times2$
$=\{(12+11)-2\}\times2=42$(개)입니다.

가장 바깥쪽의 가로와 세로에 놓인 바둑돌을 모두 더하면 $(12+11)\times2=46$(개)입니다. 이 중 직사각형의 네 꼭지점에 있는 바둑돌이 2번씩 더해졌으므로 둘레에 놓인 바둑돌은 $(12+11)\times2-4=46-4=42$(개)입니다.

은메달 따기 p. 49 ~ 50

1 960원　　2 3200원
3 225개　　4 576장
5 36개　　6 324장

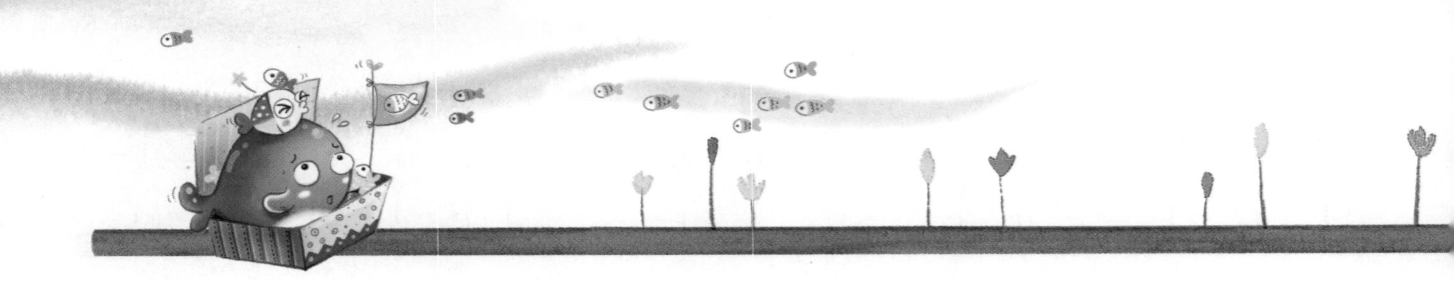

1 둘레에 놓인 동전은 $(25-1)\times4=96$(개)입니다. 따라서, 둘레에 놓인 동전의 금액은 $10\times96=960$(원)입니다.

2 둘레에 놓인 동전은 $(17-1)\times4=64$(개)입니다. 따라서, 둘레에 놓인 동전의 금액은 $50\times64=3200$(원)입니다.

3 (한 변에 놓인 바둑돌의 개수)
$=(56\div4)+1=15$(개)입니다.
따라서, 바둑돌의 개수는 모두 $15\times15=225$(개)입니다.

4 (한 변에 놓인 우표 수)
$=(92\div4)+1=24$(장)입니다.
따라서, 사용한 우표는 모두 $24\times24=576$(장)입니다.

5 같은 수끼리 곱하여 100이 되는 수는 10입니다. 정사각형의 가장 바깥쪽의 한 변에는 바둑돌이 10개 놓여 있으므로 둘레에는 바둑돌이 $(10-1)\times4=36$(개) 놓여 있습니다.

6 안쪽 정사각형의 한 변에는 분홍색 색종이가 $20-2=18$(장) 놓여 있습니다. 따라서, (분홍색 색종이의 수)$=18\times18=324$(장)입니다.

별해

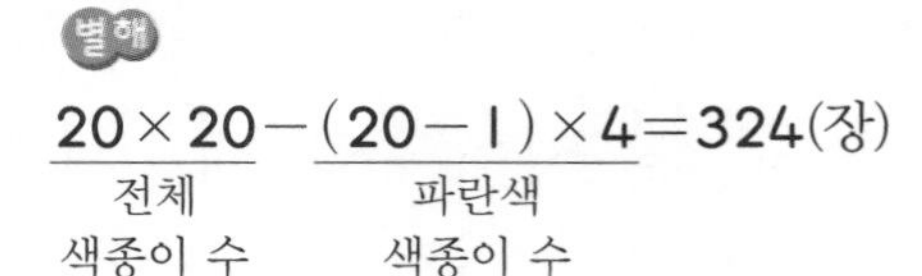

금메달 따기 p. 51

1 56개　　2 560원
3 40장

1 검은색 바둑돌은 $(12-1)\times4=44$(개)이고, 흰색 바둑돌은 $(12-2)\times(12-2)=10\times10=100$(개)입니다.
따라서, 흰색 바둑돌은 검은색 바둑돌보다 $100-44=56$(개) 더 많습니다.

2 정사각형의 둘레를 동전으로 한 번 더 에워싸면 한 변에 15개씩 동전을 늘어놓은 정사각형이 됩니다. 따라서, 더 필요한 동전은 $(15-1)\times4=56$(개)이므로 돈은 $10\times56=560$(원)이 더 필요합니다.

3 가로의 카드 수를 ●, 세로의 카드 수를 ▲라 하면 ●×▲=120, ●−▲=2인 ●는 12, ▲는 10입니다. 따라서, 가로의 카드 수는 12장, 세로의 카드 수는 10장이므로 $\{(12+10)-2\}\times2=40$(장)입니다.

9 나무심기 유형 해결하기

확인문제 p. 52

1 18개　　2 19개
3 38개

1 $72\div4=18$(개)

2 간격이 18개이므로 가로등은 19개입니다.

3 $19\times2=38$(개)

동메달 따기 p. 53 ~ 54

1 31그루　　2 40그루
3 14개　　4 16장
5 12그루　　6 348m

1 간격의 수는 $90 \div 3 = 30$(개)입니다.
따라서, 단풍나무는 31그루가 필요합니다.

2 간격의 수는 $76 \div 4 = 19$(개)이므로 도로의 한쪽에 필요한 나무는 $19 + 1 = 20$(그루)입니다.
따라서, 도로의 양쪽에 필요한 나무는
$20 \times 2 = 40$(그루)입니다.

3 (간격의 수)$= 75 \div 5 = 15$(개)입니다.
산책로의 처음과 끝에 기둥을 세우지 않으므로 기둥은 $15 - 1 = 14$(개)가 필요합니다.

4 간격의 수는 $51 \div 3 = 17$(개)입니다.
따라서, 붙인 스티커는
(간격의 수)$- 1 = 17 - 1 = 16$(장)입니다.

5 간격의 수는 $84 \div 7 = 12$(개)입니다.
따라서, (버드나무의 수)=(간격의 수)이므로 버드나무는 12그루 심어져 있습니다.

6 말뚝의 수와 간격의 수는 같습니다.
따라서, (농장의 둘레)=(간격)×(간격의 수)
$= 12 \times 29 = 348$(m)입니다.

은메달 따기 p. 55 ~ 56

1 378m	2 30그루
3 100군데	4 6개
5 4그루	6 918m

1 도로의 한쪽에는 은행나무가 $86 \div 2 = 43$(그루) 심어져 있으므로 간격의 수는 $43 - 1 = 42$(개)입니다.
따라서, 도로의 길이는 $9 \times 42 = 378$(m)입니다.

2 직사각형의 둘레의 길이는
$30 + 15 + 30 + 15 = 90$(m)입니다.
따라서, 둘레에 3m 간격으로 진달래나무를 $90 \div 3 = 30$(그루) 심은 것입니다.

3 정사각형은 네 변의 길이가 모두 같으므로 정사각형의 둘레는 $8 \times 4 = 32$(m)입니다.
32m=3200cm이고, 32cm 간격으로 심으면 $32 \times 100 = 3200$에서 간격은 100개입니다.
따라서, 콩은 100군데에 심은 것입니다.

4 간격의 수는 $100 \div 4 = 25$(개)이고, 깃발의 수는 간격의 수보다 1개 더 적으므로 깃발은 24개가 필요합니다.
따라서, $30 - 24 = 6$(개)가 남습니다.

5 $96 \div 8 = 12$에서 간격의 수는 12개이므로 길의 한쪽에는 소나무를 13그루 심게 됩니다.
따라서, 길의 양쪽에는 $13 \times 2 = 26$(그루)를 심어야 하므로 $26 - 22 = 4$(그루)가 더 필요합니다.

6 간격의 수가 27개이므로 한별이는 영수네 집까지 가는 데 $17 \times 27 = 459$(m)를 걸어야 합니다. 따라서, 한별이가 영수네 집에 다녀오는 데 모두 $459 \times 2 = 918$(m)를 걸어야 합니다.

금메달 따기 p. 57

1 790m	2 21그루
3 12cm	

1 가로수가 35그루 있으므로 가로수와 가로수 사이의 간격은 34개이고, 간격이 23m로 모두 같으므로 첫째 번 가로수에서 마지막 가로수까지의 거리는 $23 \times 34 = 782$(m)입니다.
따라서, 한솔이네 집에서 은행까지의 거리는
$4 \times 2 + 782 = 8 + 782 = 790$(m)입니다.

2 $14 \times 7 = 98$에서 소나무와 소나무 사이의 간격의 수는 7개이므로 소나무는 7그루 심어야 합니다. 또, 소나무와 소나무 사이에 밤나무를 2그루씩 심으면 밤나무는 $2 \times 7 = 14$(그루)를 심어야 합니다.
따라서, 나무는 모두 $7 + 14 = 21$(그루)가 필요합니다.

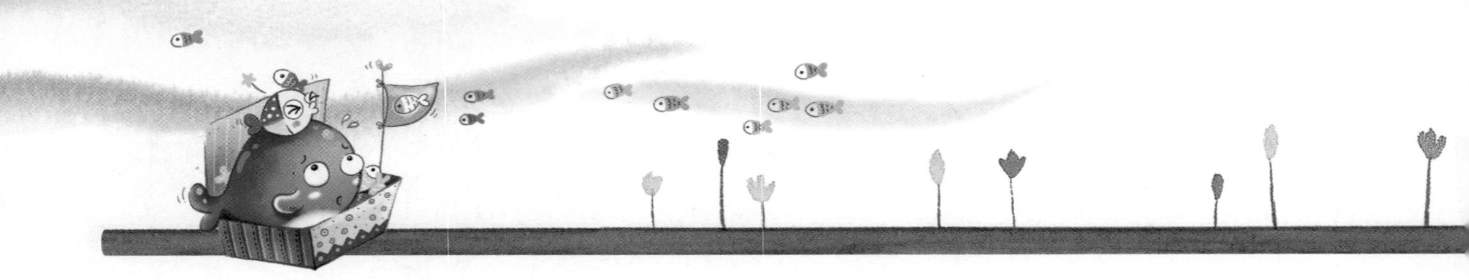

3 그림 7장의 가로의 길이는 $85 \times 7 = 595$(cm)이므로 간격의 길이의 합은 $691 - 595 = 96$(cm)입니다.
따라서, 간격의 수가 $7 + 1 = 8$(개)이므로 간격은 $96 \div 8 = 12$(cm)입니다.

10 규칙적으로 반복되는 유형 해결하기

확인문제 p.58

1 2, 7, 4, 7, 1, 7　2 3번
3 24번

동메달 따기 p. 59 ~ 60

1 ♥	2 4
3 40개	4 51장
5 목요일	6 월요일

1 반복되는 부분은 ♣♥♥♠♠입니다. 62째 번 도형은 $62 \div 5 = 12 \cdots 2$에서 13째 묶음의 2번째 도형입니다.
따라서, ♥입니다.

2 8, 5, 4, 0이 반복됩니다.
75째 번 수는 $75 \div 4 = 18 \cdots 3$에서 19째 묶음의 3번째 수입니다. 따라서, 4입니다.

3 반복되는 부분은 ▣◈◉▣▣◉이고, 이 중에는 ▣가 3개 들어 있습니다.
$79 \div 6 = 13 \cdots 1$이므로 반복되는 부분은 13묶음이 되고, 도형이 1개 남으며, 남는 도형은 ▣입니다.
따라서, ▣는 $3 \times 13 + 1 = 40$(개) 있습니다.

4 반복되는 부분은 ■■■□■■■이고, 한 묶음 안에 초록색 색종이가 4장 있습니다.
$89 \div 7 = 12 \cdots 5$에서 반복되는 부분은 12묶음이 되고, 색종이가 5장 남으며, 남는 5장 중 3장이 초록색입니다.
따라서, 초록색 색종이는 $4 \times 12 + 3 = 51$(장)이 필요합니다.

5 같은 요일은 7일마다 반복됩니다.
$38 \div 7 = 5 \cdots 3$이므로 월요일부터 3일 후의 요일인 목요일입니다.

6 3월 5일은 2월 1일부터 $27 + 5 = 32$(일) 후입니다.
따라서, $32 \div 7 = 4 \cdots 4$이므로 목요일부터 4일 후의 요일인 월요일입니다.

은메달 따기 p. 61 ~ 62

1 ⬠, ⬠	2 8개
3 22개	4 217
5 토요일	6 25

1 반복되는 부분은 ⬠ ⬠ ⬠ ⬠ ⬠입니다.
바둑돌을 77째 번에는 $77 \div 5 = 15 \cdots 2$에서 ⬠에 놓아야 하고, 79째 번에는 $79 \div 5 = 15 \cdots 4$에서 ⬠에 놓아야 합니다.

2 반복되는 부분은 ■⌂⌂▲▲⌂입니다.
83째 번에 놓이는 도형은 $83 \div 6 = 13 \cdots 5$에서 ▲이고, 90째 번에 놓이는 도형은 $90 \div 6 = 15$에서 ⌂입니다.
따라서, ▲의 변의 수는 3개, ⌂의 변의 수는 5개이므로 8개입니다.

3 반복되는 부분은 ☆■■●☆■●■이고, 한 묶음 안에 ●은 2개, ■은 4개입니다.

88÷8=11에서 반복되는 부분은 11묶음이므로 ●은 2×11=22(개)이고, ■은 4×11=44(개)입니다.
따라서, 차는 44−22=22(개)입니다.

별해

반복되는 부분에서 ■과 ●의 개수의 차이는 4−2=2(개)이므로 전체 차는 2×11=22(개)입니다.

4 반복되는 7, 9, 2, 8, 8, 4, 4를 한 묶음으로 생각하면 한 묶음 안에 들어 있는 수들의 합은 7+9+2+8+8+4+4=42입니다.
또, 36÷7=5…1이므로 반복되는 부분은 5묶음이고, 1개의 수가 남으며, 남는 수는 7입니다.
따라서, 36째 번 수까지의 총합은 42×5+7=217입니다.

5 3월과 5월은 31일까지 있고, 4월은 30일까지 있으므로 6월 8일은 3월 24일부터 7+30+31+8=76(일) 후입니다.
따라서, 76÷7=10…6이므로 일요일부터 6일 후의 요일인 토요일입니다.

6 4월 1일은 31÷7=4…3에서 금요일이므로 4월의 첫째 주 토요일은 2일이고, 넷째 주 토요일은 2+7×3=23(일)입니다.
따라서, 날짜의 합은 2+23=25입니다.

금메달 따기 p. 63

1 360	2 720원
3 25째 번	

1 반복되는 2, 9, 9, 4, 9, 5, 9, 7을 한 묶음으로 생각하면 한 묶음 안에는 9가 4번 들어 있습니다. 81÷8=10…1이므로 반복되는 부분은 10묶음이고, 1개의 수가 남습니다.
따라서, 9는 4×10=40(번) 나오므로 그들의 합은 9×40=360입니다.

2 반복되는 부분은 (10)(500)(10)(100)(100) 입니다.

따라서, 반복되는 부분의 동전의 금액의 합은 10+500+10+100+100=720(원)입니다.

3 반복되는 부분 안에 있는 동전의 금액의 합은 720원입니다.
3600−720−720−720−720−720=0에서 반복되는 부분은 5번 나오고, 남는 동전이 없는 것을 알 수 있습니다.
따라서, 5×5=25(째 번) 동전까지의 합입니다.

11 평균에 관한 문제 해결하기

확인문제 p. 64

1 56권	2 4, 14

1 15+22+8+11=56(권)

동메달 따기 p. 65 ~ 66

1 24개	2 12명
3 85점	4 70쪽
5 1L	
6 한별 : 5점, 영수 : 7점	

1 평균은 전체를 더한 합계를 개수로 나누어 구하므로 스티커의 평균 개수는 세 사람이 갖고 있는 스티커의 총 개수를 3명으로 나누어 구하면 됩니다.

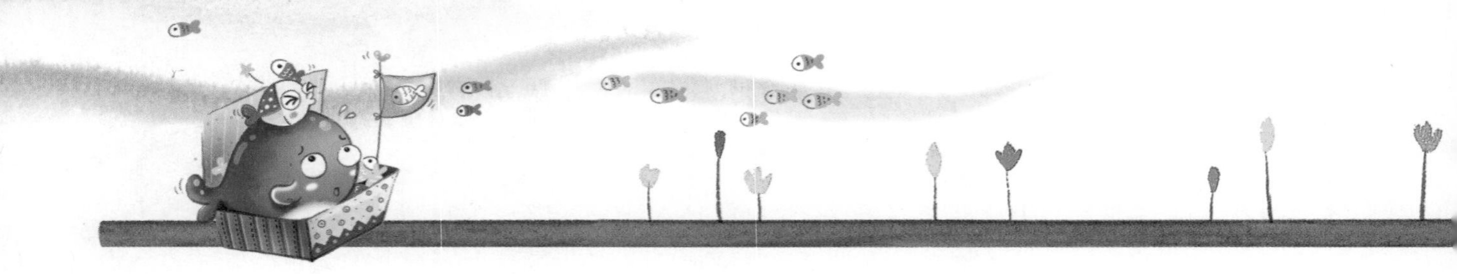

따라서, 스티커의 총 개수는
23+19+30=72(개)이므로 스티커의 평균 개수는 72÷3=24(개)입니다.

2 특별 활동 반의 신입생 수를 모두 더하여 4개의 반으로 나누어 평균 신입생 수를 구합니다.
따라서, 특별 활동 반의 평균 신입생 수는
(8+9+19+12)÷4=48÷4=12(명)입니다.

3 세 사람의 수학 점수의 총점은
75+95+85=255(점)입니다.
따라서, 평균 점수는 255÷3=85(점)입니다.

4 평균은 전체를 더한 합계를 개수로 나누어 구하므로, 전체를 더한 합계는 평균과 개수를 곱해서 구하면 됩니다.
따라서, 일 주일은 7일이므로 동화책은 모두
10×7=70(쪽)으로 되어 있습니다.

5 (율기가 5일 동안 마시는 우유의 양)
=(하루 평균 마시는 우유의 양)×5
=200×5=1000(mL)
따라서, 1000mL=1L이므로 5일 동안 1L의 우유를 마십니다.

6 먼저 한별이와 영수가 맞힌 과녁의 점수의 합을 각각 구한 후 화살을 쏜 횟수로 나누어 평균 점수를 구합니다.
한별이가 쏜 화살은 모두 5점을 맞혔으므로 총점은 5+5+5=15(점)이고, 영수가 쏜 화살은 10점에 두 번, 1점에 한 번 맞혔으므로 총점은 10+10+1=21(점)입니다.
따라서, 한별이의 평균 점수는 15÷3=5(점)이고, 영수의 평균 점수는 21÷3=7(점)입니다.

은메달 따기 p. 67 ~ 68

1 200mL
2 270cm
3 2명
4 19마리
5 3개
6 규형, 3점

1 0.8L=800mL이므로 하루 평균
800÷4=200(mL)씩 마신 셈입니다.

2 1m=100cm이므로 3.4m=340cm,
2m 50cm=250cm이고, 선물 상자를 포장하는 데 사용한 리본의 총 길이는
220+340+250=810(cm)입니다.
따라서, 한 개의 선물 상자를 포장하는 데 사용한 리본의 평균 길이는 810÷3=270(cm)입니다.

3 화요일과 토요일에 지각한 학생은 없지만 6일 동안 지각한 학생 수의 평균을 구하는 것이므로 6일로 나누어야 합니다.
6일 동안 지각한 학생 수는 모두
3+0+2+4+3+0=12(명)이므로 지각한 학생은 하루 평균 12÷6=2(명)인 셈입니다.

4 마을별 키우는 소의 수는 다음과 같습니다.

마을별 소의 수

마을	하늘	바다	호수	해님	합
소의 수(마리)	23	15	30	8	76

따라서, 마을별 키우고 있는 소의 수의 평균은
76÷4=19(마리)입니다.

5 두 사람이 갖고 있는 도넛의 평균 개수를 구한 후 용희가 갖고 있는 도넛 중 평균보다 많은 개수를 한초에게 주면 도넛의 개수가 같아집니다.
(두 사람이 갖고 있는 도넛의 평균 개수)
=(16+10)÷2=13(개)
따라서, 용희가 갖고 있는 도넛 중
16−13=3(개)를 한초에게 주면 각각 13개씩 도넛의 개수가 같아집니다.

6 (규형이의 평균 점수)
=(80+76+84+88)÷4
=328÷4=82(점)
(한솔이의 평균 점수)
=(88+90+74+64)÷4
=316÷4=79(점)
따라서, 평균 점수는 규형이가 한솔이보다
82−79=3(점) 더 높습니다.

금메달 따기 p. 69

1 38kg 2 3시간
3 12개

1 영수의 몸무게를 구한 후 두 사람의 몸무게의 평균을 구합니다.
(영수의 몸무게)$=42-8=34$(kg)
따라서, 두 사람의 몸무게의 평균은
$(42+34)\div2=38$(kg)입니다.

2 4시간씩 6일 동안 공부한 총 시간을 8일로 나누어 평균 시간을 구합니다.
(6일 동안 공부한 총 시간)$=4\times6=24$(시간)
따라서, 8일 동안 하루 평균 $24\div8=3$(시간)씩 공부한 셈입니다.

3 평균을 이용하여 효근이네 모둠 학생들이 가지고 있는 블록의 총 개수를 구한 후 효근이와 동민이가 가지고 있는 블록의 수를 빼어 예슬이가 가지고 있는 블록의 수를 구합니다.
(블록의 총 개수)$=13\times3=39$(개)
따라서, 예슬이가 가지고 있는 블록의 개수는
$39-(16+11)=12$(개)입니다.

12 차가 일정한 점을 이용하여 해결하기

확인문제 p.70

1 12 2 12살
3 4년 후

2 $12\div(2-1)=12$(살)

3 $12-8=4$(년)

동메달 따기 p. 71 ~ 72

1 3년 후 2 4년 후
3 2년 후 4 7년 전
5 5년 전 6 8년 전

1 선생님의 연세와 한초의 나이의 차는
$33-9=24$(살)로 항상 같습니다. 몇 년 후의 한초와 선생님의 연세를 그림으로 그려 보면 다음과 같습니다.

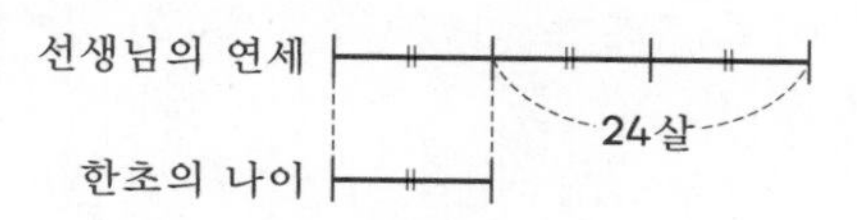

몇 년 후의 한초의 나이는 $24\div(3-1)=12$(살)입니다.
따라서, 올해 한초의 나이가 9살이므로
$12-9=3$(년) 후입니다.

2 아버지와 아들의 나이의 차는 $52-10=42$(살)입니다. 몇 년 후의 아버지의 연세와 아들의 나이를 그림으로 그려 보면 다음과 같습니다.

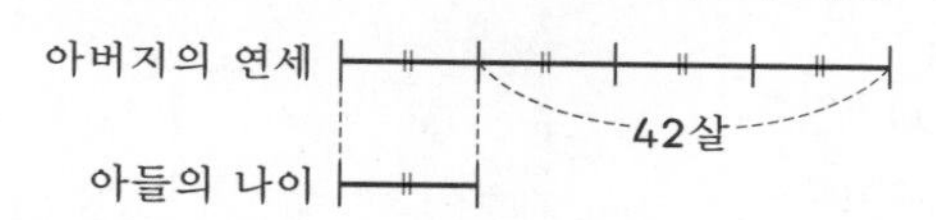

위의 그림에서 몇 년 후의 아들의 나이는
$42\div(4-1)=14$(살)입니다.
따라서, 아버지의 연세가 아들의 나이의 4배가 되는 것은 $14-10=4$(년) 후입니다.

3 할아버지와 신영이의 나이의 차는
$70-10=60$(살)이고, 몇 년 후의 신영이의 나이는 $60\div(6-1)=12$(살)입니다.
따라서, 할아버지의 연세가 신영이의 나이의 6배가 되는 것은 $12-10=2$(년) 후입니다.

4 가영이와 동생의 나이의 차는 $13-10=3$(살)입니다. 몇 년 전의 가영이와 동생의 나이를 그림으로 그려 보면 다음과 같습니다.

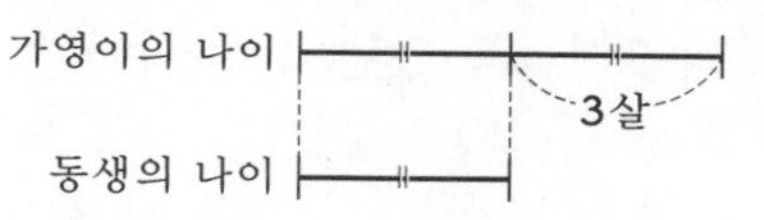

가영이의 나이가 동생의 나이의 2배일 때 동생의

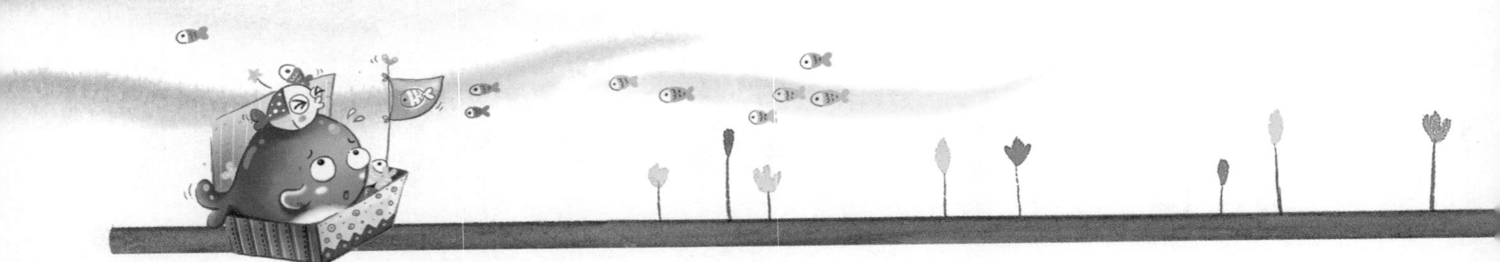

나이는 $3 \div (2-1)=3$(살)입니다.
따라서, 가영이의 나이가 동생의 나이의 2배가 되었던 때는 $10-3=7$(년) 전입니다.

5 용희와 어머니의 나이의 차는 $45-13=32$(살)이고, 어머니의 연세가 용희의 나이의 5배였을 때의 용희의 나이는 $32 \div (5-1)=8$(살)입니다.
따라서, 어머니의 연세가 용희의 나이의 5배가 되었던 때는 $13-8=5$(년) 전입니다.

6 지혜의 나이의 5배가 아버지의 연세와 같았던 때의 지혜의 나이는
$(43-15) \div (5-1)=28 \div 4=7$(살)이었으므로 지금부터 $15-7=8$(년) 전입니다.

은메달 따기 p. 73 ~ 74

1 7일 후	2 2달 전
3 30세	4 55살
5 5년 전	6 10년 후

1 두 사람이 가지고 있는 사탕의 개수의 차는
$25-13=12$(개)입니다.
며칠 후의 남는 사탕의 개수를 그림으로 그려 보면 다음과 같습니다.

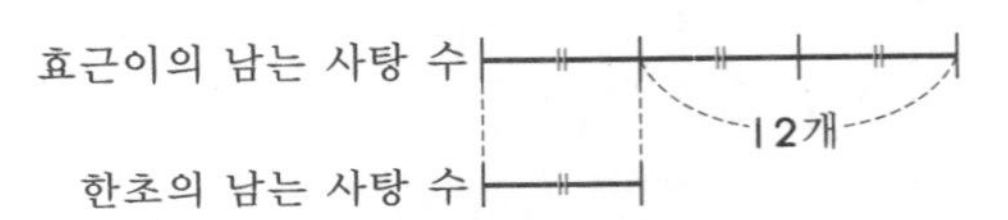

효근이의 남는 사탕의 개수가 한초의 남는 사탕의 개수의 3배가 되는 것은 한초의 사탕의 개수가 $12 \div (3-1)=6$(개)가 될 때입니다.
따라서, $13-6=7$(일) 후입니다.

2 석기와 웅이가 가지고 있는 연필 수의 차는
$38-18=20$(자루)이므로 웅이의 연필 수가 석기의 연필 수의 2배가 되었던 것은 석기의 연필 수가 $20 \div (2-1)=20$(자루)가 되었을 때입니다.
따라서, $20-18=2$(달) 전입니다.

3 나이의 차가 20살이고, 삼촌의 연세가 한솔이의 나이의 3배가 되도록 그림을 그려 봅니다.

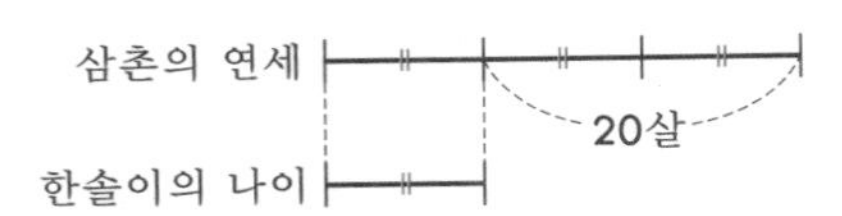

위의 그림에서 한솔이의 나이는
$20 \div (3-1)=10$(살)이고, 삼촌의 연세는
$10 \times 3=30$(세)입니다.

4 나이의 차가 33살이고, 어머니의 연세가 용희의 나이의 4배가 되도록 그림을 그려 봅니다.

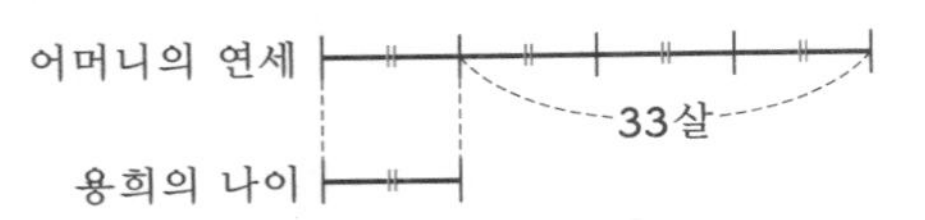

위의 그림에서 용희의 나이는
$33 \div (4-1)=11$(살)이고, 어머니의 연세는
$11 \times 4=44$(세)입니다.
따라서, 올해 어머니와 용희의 나이의 합은
$44+11=55$(살)입니다.

5 올해 신영이의 나이는 합과 차의 관계를 이용하여 구할 수 있습니다.
따라서, $(26-8) \div 2=9$(살)입니다.
언니의 나이가 신영이의 나이의 3배가 되도록 그림을 그려 보면 다음과 같습니다.

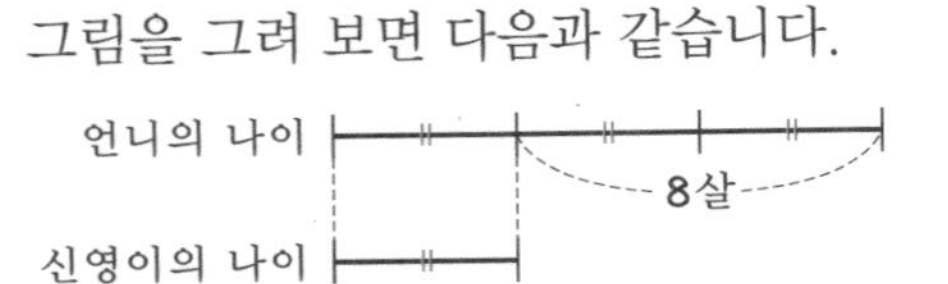

위의 그림에서 언니의 나이가 신영이의 나이의 3배가 되었던 때 신영이의 나이는
$8 \div (3-1)=4$(살)이므로 $9-4=5$(년) 전입니다.

6 올해 지혜의 나이는 합과 차의 관계를 이용하여 구할 수 있습니다. 따라서, $(55-45) \div 2=5$(살)입니다.
아버지의 연세가 지혜의 나이의 4배가 되도록 그림을 그려 보면 다음과 같습니다.

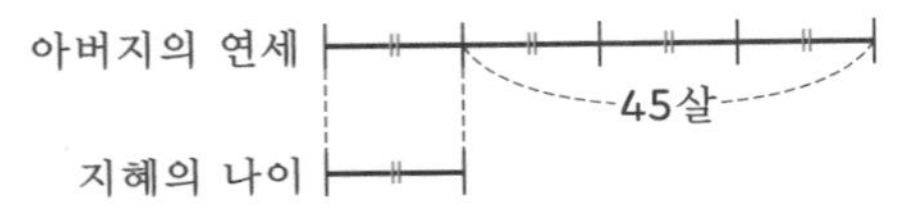

위의 그림에서 아버지의 연세가 지혜의 나이의 4배가 될 때 지혜의 나이는

$45\div(4-1)=15$(살)이므로 $15-5=10$(년) 후입니다.

금메달 따기 p. 75

1 이모 : 31세, 가영 : 5살
2 52살　　3 7일 후

1 8년이 지나면 이모와 가영이 모두 8살이 더 많아지지만 나이의 차는 26살로 같습니다. 8년 후의 이모의 연세와 가영이의 나이를 그림으로 나타내면 다음과 같습니다.

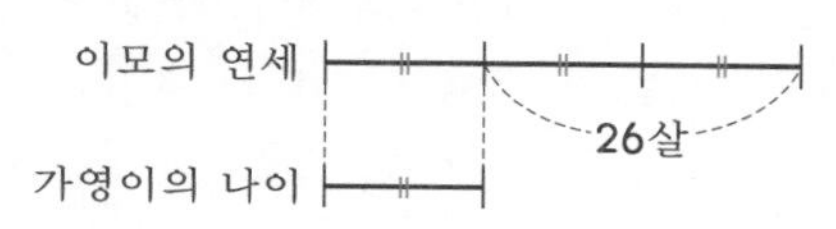

8년 후의 가영이의 나이는 $26\div(3-1)=13$(살)이므로 올해 가영이의 나이는 $13-8=5$(살)이고, 이모의 연세는 $5+26=31$(세)입니다.

2 5년 전에도 어머니와 한초의 나이의 차는 28살입니다. 5년 전의 어머니의 연세와 한초의 나이를 그림으로 나타내면 다음과 같습니다.

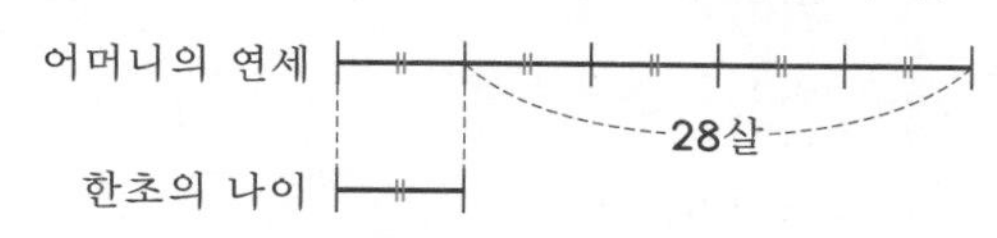

5년 전의 한초의 나이는 $28\div(5-1)=7$(살)이므로 올해 한초의 나이는 $7+5=12$(살)이고, 어머니의 연세는 $12+28=40$(세)입니다.
따라서, 올해 어머니와 한초의 나이의 합은 $40+12=52$(살)입니다.

3 두 창고의 물건의 개수의 차는 $248-104=144$(개)입니다.
가 창고에 남는 물건의 개수가 나 창고에 남는 물건의 개수의 4배가 되는 것은 나 창고에 남는 물건의 개수가 $144\div(4-1)=48$(개)가 될 때입니다.
따라서, $(104-48)\div8=7$(일) 후입니다.

13 합이 일정한 점을 이용하여 해결하기

확인문제 p.76

1 84장　　2 42장
3 4장

1 $38+46=84$(장)

2 $84\div2=42$(장)

3 $46-42=4$(장)

동메달 따기 p. 77 ~ 78

1 4개　　2 1L
3 6개　　4 3번
5 4번　　6 2분

1 두 사람이 갖고 있는 블록의 개수는 $16+24=40$(개)이므로
두 사람이 각각 $40\div2=20$(개)씩 가져야 같아집니다.
따라서, 가영이는 신영이에게 블록을 $24-20=4$(개) 주었습니다.

2 유리병 두 개에 담긴 주스의 양은 $2+4=6$(L)입니다.
주스를 옮겨 넣은 후의 각각의 유리병에 들어 있는 주스의 양은 $6\div2=3$(L)입니다.
따라서, 유리병 나에서 가로 $4-3=1$(L)를 옮겨 넣은 것입니다.

3 사과를 옮겨 넣은 후의 각각의 상자에 들어 있는 과일의 개수는 $(29+17)\div2=23$(개)입니다.
따라서, 상자 가에서 나로 $29-23=6$(개)를 옮겨 넣은 것입니다.

4 두 칸에 꽂힌 책의 수는 $24+12=36$(권)이므로 두 칸에 각각 $36\div2=18$(권)씩 꽂혀야 합니다.

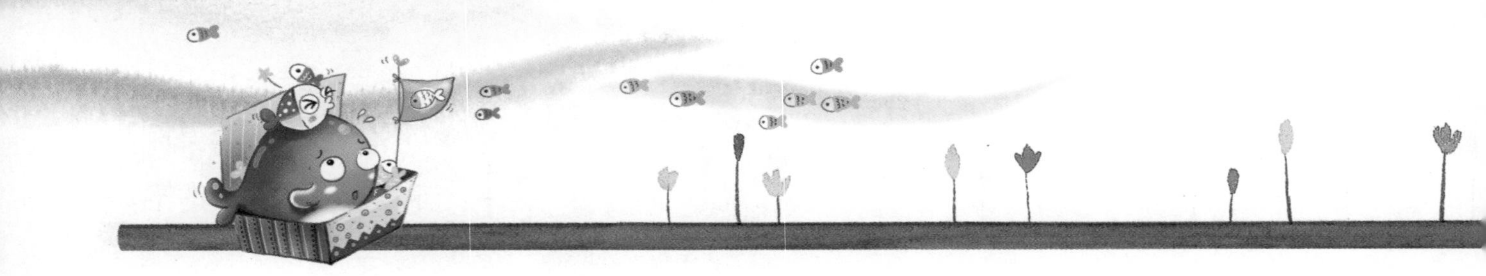

따라서, $(24-18)\div2=3$(번) 옮기면 두 칸의 책의 수가 같아집니다.

별해

두 칸의 책의 수의 차는 $24-12=12$(권)이므로 $12\div2=6$(권)을 옮겨야 합니다.
따라서, $6\div2=3$(번)입니다.

5 두 봉지에 들어 있는 사탕의 개수는 $20+36=56$(개)이므로 두 봉지에 각각 $56\div2=28$(개)씩 넣어야 합니다.
따라서, $(36-28)\div2=4$(번) 옮겨 넣은 것입니다.

별해

$(36-20)\div2\div2=4$(번)

6 두 물통에 들어 있는 물의 양은 $10+18=28$(L)이므로 두 물통의 물은 각각 $28\div2=14$(L)가 되어야 합니다.
따라서, $(18-14)\div2=2$(분) 만에 두 물통의 물의 양이 같아졌습니다.

별해

$(18-10)\div2\div2=2$(분)

은메달 따기 p. 79 ~ 80

1 10개　　2 2장
3 2m
4 석기 : 40개, 누나 : 60개
5 가 상자 : 26kg, 나 상자 : 14kg
6 6자루

1 두 사람이 갖고 있는 사탕의 개수의 합은 $50+40=90$(개)입니다. 효근이가 예슬이에게 사탕을 주고 난 뒤를 그림으로 나타내면 다음과 같습니다.

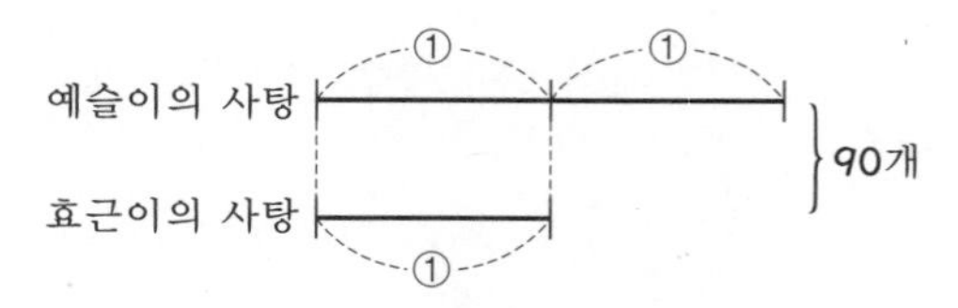

위의 그림에서 효근이의 사탕이 $90\div(2+1)=30$(개)가 되므로 효근이가 예슬이에게 $40-30=10$(개)를 주었습니다.

2 두 사람이 갖고 있는 카드 수의 합은 $46+26=72$(장)입니다. 신영이가 웅이에게 카드를 주고 난 뒤를 그림으로 나타내면 다음과 같습니다.

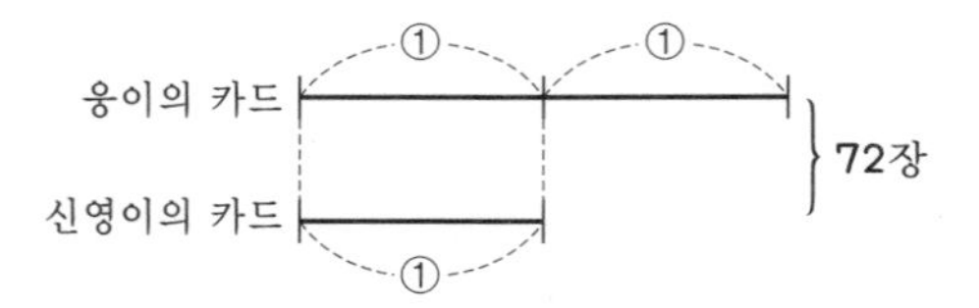

위의 그림에서 신영이의 카드가 $72\div(2+1)=24$(장)이 되므로 신영이가 웅이에게 $26-24=2$(장)을 주면 됩니다.

3 두 사람이 갖고 있는 색 테이프의 길이의 합은 $7+5=12$(m)입니다. 영수가 한솔이에게 색 테이프를 주고 난 뒤를 그림으로 나타내면 다음과 같습니다.

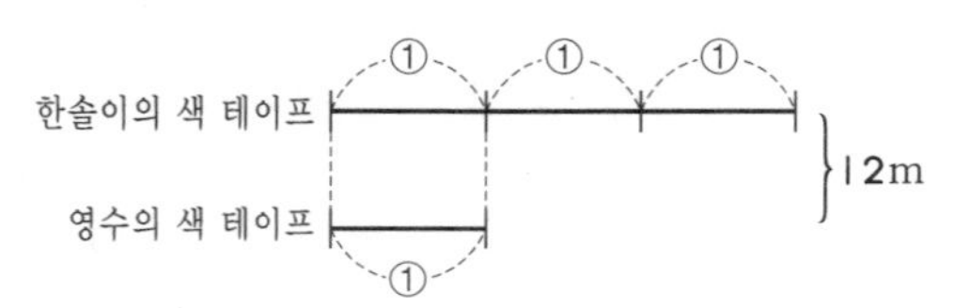

위의 그림에서 영수의 색 테이프는 $12\div(3+1)=3$(m)가 되므로 영수가 한솔이에게 $5-3=2$(m)를 주었습니다.

4 처음에 누나는 석기보다 $10\times2=20$(개)를 더 많이 갖고 있었습니다.
따라서, 석기는 $(100-20)\div2=40$(개), 누나는 $100-40=60$(개)를 갖고 있었습니다.

별해

누나가 석기에게 블록 10개를 주어 두 사람이 각각 $100\div2=50$(개)의 블록을 갖게 되었습니다. 따라서, 처음에 석기는 $50-10=40$(개), 누나는 $50+10=60$(개)를 갖고 있었습니다.

5 가 상자의 감자의 무게가 나 상자의 감자의 무게보다 $6\times2=12$(kg) 더 무겁습니다.
따라서, 감자의 무게가 가 상자는 $(40+12)\div2=26$(kg),
나 상자는 $40-26=14$(kg)입니다.

별해

감자를 가 상자에서 나 상자로 6kg 옮겨 넣으면 두 상자의 감자의 무게는 각각 40÷2=20(kg)입니다.
따라서, 가 상자는 20+6=26(kg),
나 상자는 20−6=14(kg)입니다.

6 효근이와 예슬이가 갖고 있는 연필 수의 합은 40+60=100(자루)이므로 예슬이가 효근이에게 연필을 주고 난 뒤에 예슬이의 연필은
(100+8)÷2=54(자루)가 됩니다.
따라서, 예슬이는 효근이에게 연필을
60−54=6(자루) 주었습니다.

금메달 따기 p. 81

1 20원 2 400원
3 200원

1 같은 금액을 냈을 경우 껌을 30÷2=15(개)씩 나누어 가지면 되는데 신영이가 한초보다 4개를 더 갖기로 하였으므로 본래 가져야 할 껌보다 2개 더 가진 셈입니다.

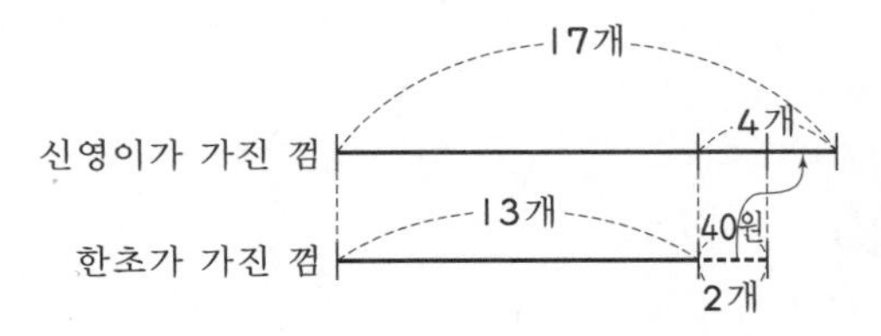

신영이가 본래 가져야 할 껌보다 2개를 더 가져갔기 때문에 한초에게 40원을 준 것이므로 껌 한 개의 값은 40÷2=20(원)입니다.

2 같은 금액을 냈을 경우 알사탕을 8÷2=4(개)씩 나누어 가지면 되는데 율기가 웅이보다 2개를 더 갖기로 하였으므로 본래 가져야 할 알사탕보다 1개를 더 가진 셈입니다.

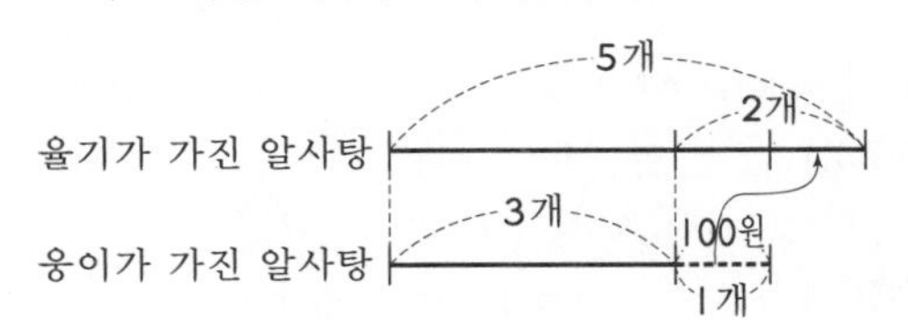

따라서, 알사탕 한 개의 가격은 100원이고, 율기와 웅이가 처음에 낸 돈은 각각
8×100÷2=400(원)입니다.

3 두 사람이 각각 400원씩 내서 딱지 8장을 샀으므로 딱지 한 장의 값은
(400+400)÷8=100(원)입니다.
영수는 (8+4)÷2=6(장)을 가졌으므로 본래 가져야 할 딱지보다 6−4=2(장)을 더 가진 셈이므로 2장의 값에 해당하는 돈을 동민이에게 주어야 합니다.
따라서, 영수는 동민이에게 2×100=200(원)을 주면 됩니다.

14 차량의 통과에 관한 문제 해결하기

확인문제 p.82

1 16m 2 66m
3 11초

2 (기차가 움직인 거리)
=(다리의 길이)+(기차의 길이)
=50+16=66(m)

3 (걸리는 시간)
=(기차가 움직인 거리)÷(기차의 빠르기)
=66÷6=11(초)

동메달 따기 p. 83 ~ 84

1 20m 2 3m
3 24초 4 5초
5 12초 6 13초

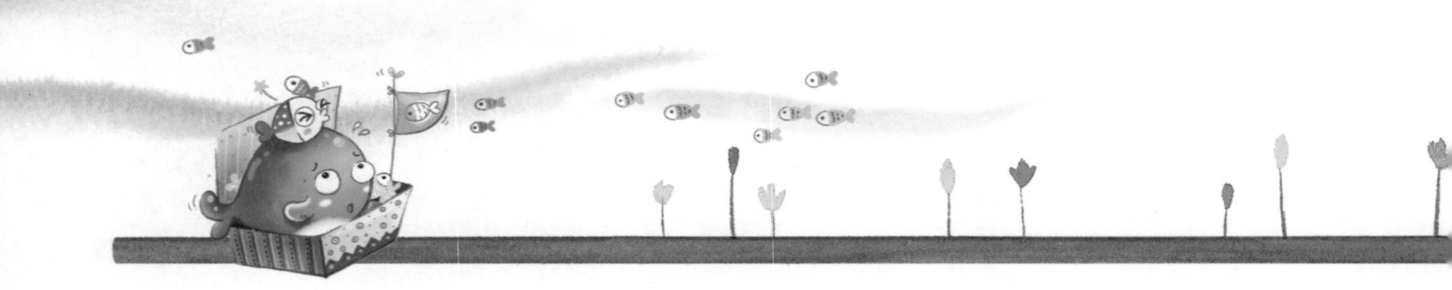

1 열차의 길이만큼인 80m를 4초 만에 가는 셈이므로 열차는 1초에 $80 \div 4 = 20$(m)를 달린 셈입니다.

2 버스의 길이만큼인 12m를 4초 만에 가는 셈이므로 버스는 1초에 $12 \div 4 = 3$(m)를 달린 셈입니다.

3 열차의 길이만큼인 96m를 1초에 4m씩 달리는 셈이므로 걸리는 시간은 $96 \div 4 = 24$(초)입니다.

4 동물 열차의 길이만큼인 10m를 1초에 2m씩 달리는 셈이므로 걸리는 시간은 $10 \div 2 = 5$(초)입니다.

5 열차가 움직여야 할 거리는 $23 + 37 = 60$(m)이므로 걸리는 시간은 $60 \div 5 = 12$(초)입니다.

6 버스가 움직여야 할 거리는 $10 + 55 = 65$(m)이므로 걸리는 시간은 $65 \div 5 = 13$(초)입니다.

은메달 따기 p. 85 ~ 86

1 178m　　2 469m
3 390m　　4 100m
5 50초　　6 2초

1 열차가 움직인 총 거리는 $16 \times 18 = 288$(m)이므로 다리의 길이는 $288 - 110 = 178$(m)입니다.

2 버스가 움직인 총 거리는 $12 \times 40 = 480$(m)이므로 터널의 길이는 $480 - 11 = 469$(m)입니다.

3 말이 움직인 총 거리는 $7 \times 56 = 392$(m)이므로 다리의 길이는 $392 - 2 = 390$(m)입니다.

4 열차가 움직인 총 거리는 $20 \times 65 = 1300$(m)이므로 열차의 길이는 $1300 - 1200 = 100$(m)입니다.

5 1분은 60초이고, $9 \times 60 = 540$이므로 1초에 9m씩 달리는 셈입니다. 따라서, 걸리는 시간은 $(400 + 50) \div 9 = 50$(초)입니다.

6 A 터널을 통과하는 데 걸린 시간은 $(600 + 12) \div 6 = 102$(초)이고, B 터널 통과하는 데 걸린 시간은 $(588 + 12) \div 6 = 100$(초)입니다.
따라서, 두 터널을 통과하는 데 걸린 시간의 차는 $102 - 100 = 2$(초)입니다.

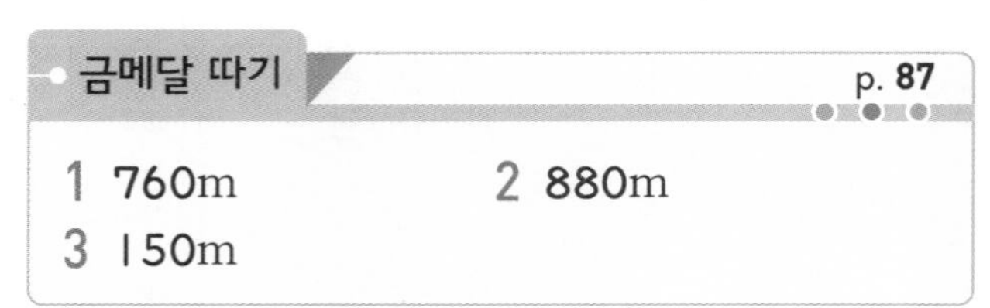

금메달 따기 p. 87

1 760m　　2 880m
3 150m

1 길이가 110m인 열차가 움직인 거리는 $16 \times 45 = 720$(m)이므로
터널의 길이는 $720 - 110 = 610$(m)입니다.
따라서, 길이가 150m인 열차가 터널을 완전히 통과하는 데 움직인 거리는
$610 + 150 = 760$(m)입니다.

길이가 110m인 열차가 움직인 거리는 $16 \times 45 = 720$m이므로 길이가 150m인 열차가 움직인 거리는
$720 + (150 - 110) = 760$(m)입니다.

2 50초는 10초의 5배이므로 열차가 움직인 총 거리는 $200 \times 5 = 1000$(m)입니다.
따라서, 철교의 길이는 $1000 - 120 = 880$(m)입니다.

3 1분에 4km ➡ 4000m를 달리므로 30초에는 2000m를 달립니다.
따라서, 고속열차의 길이는
$2000 - 1850 = 150$(m)입니다.

15 남고 모자람의 관계를 이용하여 해결하기

확인문제 p.88

1 8, 4　　2 3명
3 26장

2 $(8+4)\div(10-6)=3$(명)

3 $6\times3+8=26$(장)

동메달 따기 p. 89 ~ 90

1 사람 수 : 11명, 귤 수 : 76개
2 사람 수 : 6명, 구슬 수 : 34개
3 27개　　4 10자루
5 상자 수 : 4개, 배의 수 : 73개
6 5명

1 사람 수를 □명이라 하면

2개 차이 ⟨ 6개 —×□→ 10개 남음 / 8개 —×□→ 12개 부족 ⟩ 22개 차이

따라서, 사람 수는 $22\div2=11$(명)이고, 귤 수는 $6\times11+10=76$(개)입니다.

2 사람 수를 □명이라 하면

4개 차이 ⟨ 8개 —×□→ 14개 부족 / 4개 —×□→ 10개 남음 ⟩ 24개 차이

따라서, 사람 수는 $24\div4=6$(명)이고, 구슬 수는 $8\times6-14=34$(개)입니다.

3 사람 수를 □명이라 하면

5개 차이 ⟨ 4개 —×□→ 7개 남음 / 9개 —×□→ 18개 부족 ⟩ 25개 차이

따라서, 사람 수는 $25\div5=5$(명)이고, 사탕 수는 $4\times5+7=27$(개)입니다.

4 사람 수를 □명이라 하면

3자루 차이 ⟨ 7자루 —×□→ 11자루 부족 / 4자루 —×□→ 2자루 부족 ⟩ 9자루 차이

따라서, 사람 수는 $9\div3=3$(명)이고, 연필 수는 $7\times3-11=10$(자루)입니다.

5 상자 수를 □개라 하면

7개 차이 ⟨ 8개 —×□→ 41개 남음 / 15개 —×□→ 13개 남음 ⟩ 28개 차이

따라서, 상자 수는 $28\div7=4$(개)이고, 배의 수는 $8\times4+41=73$(개)입니다.

6 사람 수를 □명이라 하면

4개 차이 ⟨ 7개 —×□→ 28개 부족 / 3개 —×□→ 4개 부족 ⟩ 24개 차이

따라서, 사람 수는 $24\div4=6$(명)이므로, 용희의 친구는 $6-1=5$(명)입니다.

은메달 따기 p. 91 ~ 92

1 24장　　2 21개
3 41권　　4 166장
5 8다스　　6 480원

1 학생 수를 □명이라 하면

6장 차이 ⟨ 14장 —×□→ 18장 부족 / 8장 —×□→ 0 ⟩ 18장 차이

따라서, 학생 수는 $18\div6=3$(명)이고, 색종이 수는 $8\times3=24$(장)입니다.

2 사람 수를 □명이라 하면

2개 차이 ⟨ 5개 —×□→ 6개 남음 / 7개 —×□→ 0 ⟩ 6개 차이

따라서, 사람 수는 $6\div2=3$(명)이고, 지우개 수는 $7\times3=21$(개)입니다.

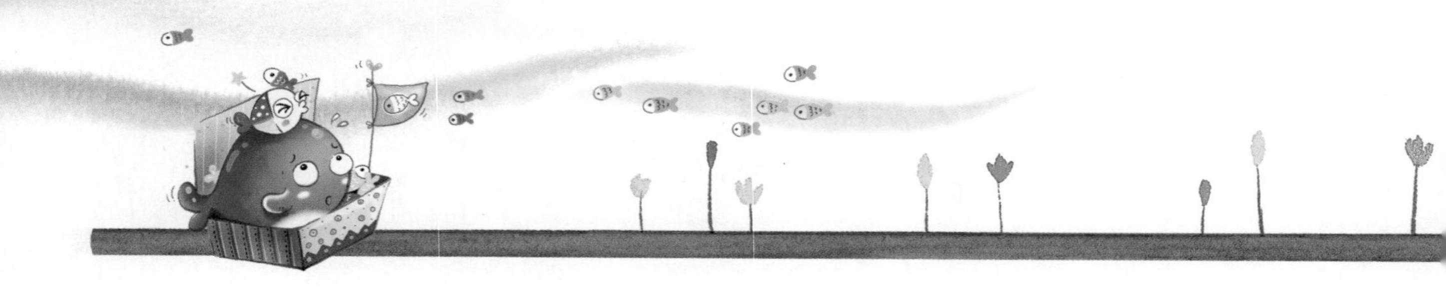

3 학생 수를 □명이라 하면

1권 차이: 6권 $\xrightarrow{\times\square}$ 13권 부족
5권 $\xrightarrow{\times\square}$ 4권 부족 → 9권 차이

따라서, 학생 수는 $9\div1=9$(명)이고, 공책 수는 $6\times9-13=41$(권)입니다.

4 사람 수를 □명이라 하면

2장 차이: 23장 $\xrightarrow{\times\square}$ 28장 남음
25장 $\xrightarrow{\times\square}$ 16장 남음 → 12장 차이

따라서, 사람 수는 $12\div2=6$(명)이고, 딱지 수는 $23\times6+28=166$(장)입니다.

5 사람 수를 □명이라 하면

5자루 차이: 22자루 $\xrightarrow{\times\square}$ 8자루 남음
17자루 $\xrightarrow{\times\square}$ 28자루 남음 → 20자루 차이

사람 수는 $20\div5=4$(명)이고,
연필 수는 $22\times4+8=96$(자루)입니다.
따라서, $12\times\square=96$에서 $\square=8$이므로 연필은 8다스입니다.

6 120원은 10원짜리 동전 12개, 420원은 10원짜리 동전 42개입니다.
사람 수를 □명이라 하면

5개 차이: 10개 $\xrightarrow{\times\square}$ 12개 부족
15개 $\xrightarrow{\times\square}$ 42개 부족 → 30개 차이

사람 수는 $30\div5=6$(명)이고, 10원짜리 동전의 수는 $10\times6-12=48$(개)입니다.
따라서, 돈은 $10\times48=480$(원)입니다.

금메달 따기 p. 93

1 120명　2 280개
3 12권

1 의자 수가 꼭 8개 부족하다는 것은 학생 수가 $4\times8=32$(명) 남는다는 뜻과 같고, 의자 수가 꼭 7개 남는다는 것은 학생 수가 $8\times7=56$(명) 부족하다는 뜻과 같습니다.
의자 수를 □개라고 하면

4명 차이: 4명 $\xrightarrow{\times\square}$ 32명 남음
8명 $\xrightarrow{\times\square}$ 56명 부족 → 88명 차이

따라서, 의자 수는 $88\div4=22$(개)이므로 학생 수는 $4\times22+32=120$(명)입니다.

2 꼭 6상자가 부족하다는 것은 사과가 $14\times6=84$(개) 남는다는 뜻과 같습니다.
상자 수를 □개라 하면

6개 차이: 14개 $\xrightarrow{\times\square}$ 84개 남음
20개 $\xrightarrow{\times\square}$ 0 → 84개 차이

따라서, 상자 수는 $84\div6=14$(개)이고, 사과 수는 $20\times14=280$(개)입니다.

3 사람 수를 □명이라 하면

3권 차이: 4권 $\xrightarrow{\times\square}$ 48권 남음
7권 $\xrightarrow{\times\square}$ 30권 남음 → 18권 차이

따라서, 사람 수는 $18\div3=6$(명)이고, 공책 수는 $4\times6+48=72$(권)이므로 한 사람당 $72\div6=12$(권)씩 주면 됩니다.

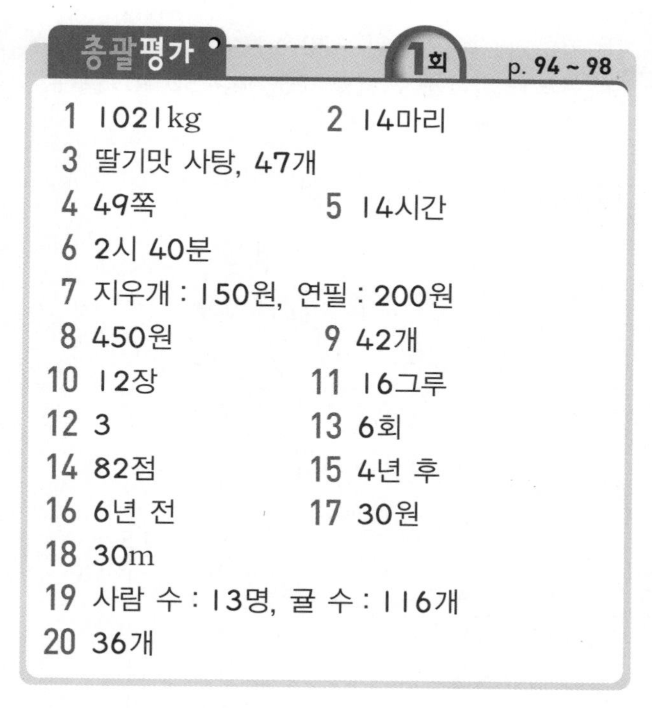

총괄평가 1회 p. 94 ~ 98

1 1021kg 2 14마리
3 딸기맛 사탕, 47개
4 49쪽 5 14시간
6 2시 40분
7 지우개 : 150원, 연필 : 200원
8 450원 9 42개
10 12장 11 16그루
12 3 13 6회
14 82점 15 4년 후
16 6년 전 17 30원
18 30m
19 사람 수 : 13명, 귤 수 : 116개
20 36개

1 (올해 수확한 포도의 양)
=(작년에 수확한 포도의 양)+189
=832+189=1021(kg)
따라서, 올해에 수확한 포도는 1021kg입니다.

2 말 한 마리의 다리는 4개이므로 모두
56÷4=14(마리)입니다.

3 (초콜릿맛 사탕 수)=16×35−7=553(개)
(딸기맛 사탕 수)=21×28+12=600(개)
따라서, 딸기맛 사탕이 600−553=47(개) 더 많습니다.

4 웅이가 어제 읽은 쪽수와 오늘 읽은 쪽수를 각각 선분으로 나타내어 보면,

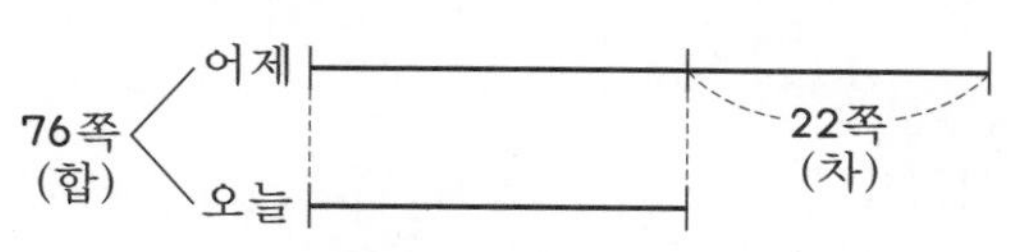

따라서, 웅이가 어제 읽은 쪽수는
(76+22)÷2=49(쪽)입니다.

5 하루는 24시간이므로

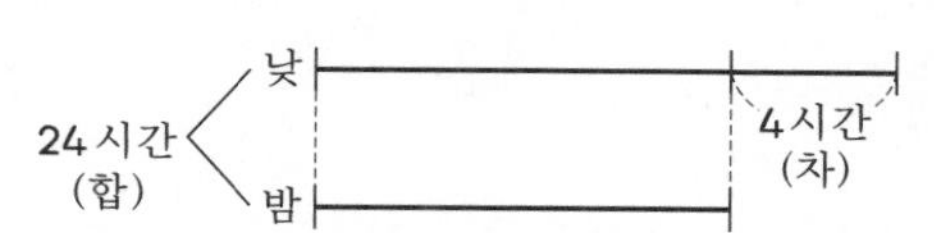

따라서, 낮 시간은 (24+4)÷2=14(시간)입니다.

6 문제를 그림으로 나타내면

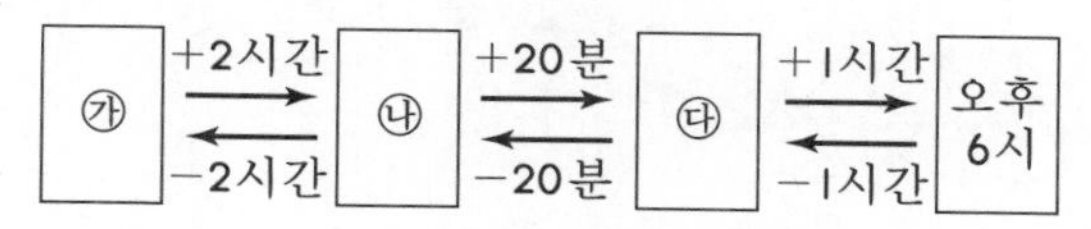

㉰에 들어갈 시각은 6시−1시간=5시, ㉯에 들어갈 시각은 5시−20분=4시 40분, ㉮에 들어갈 시각은 4시 40분−2시간=2시 40분입니다. 따라서, 영수가 공부를 시작한 시각은 오후 2시 40분입니다.

7 지우개 1개와 연필 2자루는 지우개 2개와 연필 2자루와의 관계에서 지우개 1개만큼의 차이가 납니다. 따라서, 지우개 1개의 값은
700−550=150(원)이고, 연필 2자루의 값은
550−150=400(원)이므로 연필 1자루의 값은 200원입니다.

8 구슬 25개가 들어 있는 상자는 구슬 40개가 들어 있는 상자와의 관계에서 구슬 15개만큼의 차이가 납니다.
따라서, 구슬 15개의 값은
1300−850=450(원)입니다.

9 {(10+13)−2}×2=42(개)

10 (간격의 수)=65÷5=13(개)입니다.
따라서, 붙인 스티커는
(간격의 수)−1=13−1=12(장)입니다.

11 직사각형의 둘레의 길이는
25+23+25+23=96(m)입니다.
따라서, 둘레에 6m 간격으로 나무를
96÷6=16(그루) 심은 것입니다.

12 3, 5, 2, 7, 0이 반복됩니다. 56째 번 수는
56÷5=11 ⋯ 1에서 12째 번 묶음의 첫 번째 수입니다.
따라서, 3입니다.

13 학생들의 턱걸이 횟수를 모두 더한 후 4로 나누어 평균 턱걸이 횟수를 구합니다.

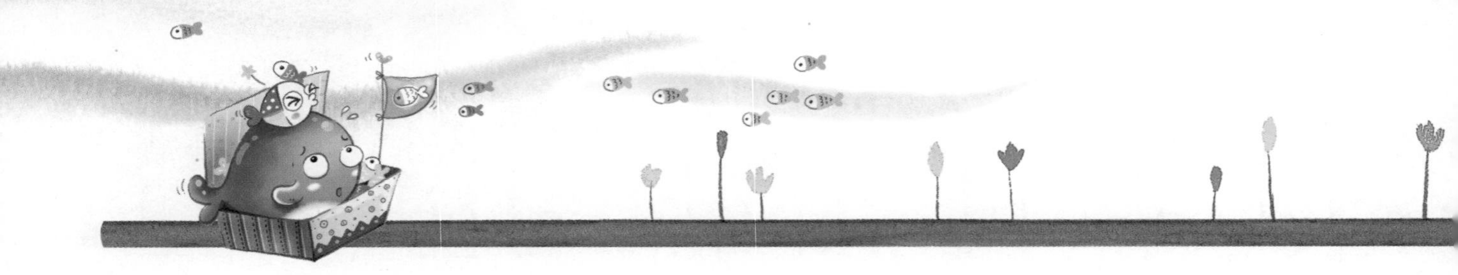

따라서, 평균 턱걸이 횟수는
$(10+8+2+4)\div4=6$(회)입니다.

14 세 사람의 수학 점수의 총점이
$80+76+90=246$(점)이므로 평균 점수는
$246\div3=82$(점)입니다.

15 선생님의 연세와 지혜의 나이의 차는
$38-10=28$(살)로 항상 같습니다. 몇 년 후의 지혜와 선생님의 나이를 그림으로 그려 보면 다음과 같습니다.

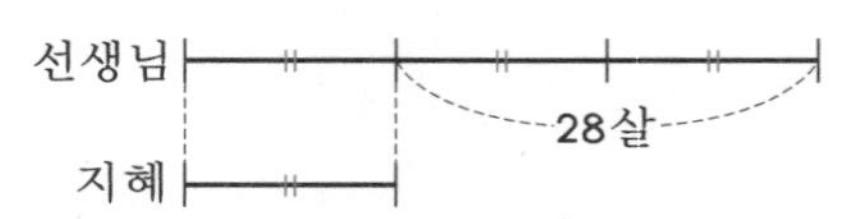

몇 년 후의 지혜의 나이는
$28\div(3-1)=14$(살)입니다.
따라서, 올해 지혜의 나이가 10살이므로
$14-10=4$(년) 후입니다.

16 효근이와 형의 나이의 차는 $14-10=4$(살)로 항상 같습니다.
몇 년 전의 효근이와 형의 나이를 그림으로 그려 보면 다음과 같습니다.

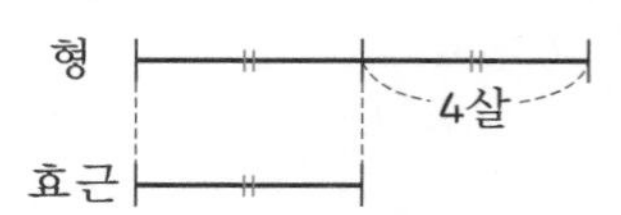

형의 나이가 효근이의 나이의 2배였을 때의 효근이의 나이는 $4\div(2-1)=4$(살)입니다.
따라서, 형의 나이가 효근이의 나이의 2배가 되었던 때는 $10-4=6$(년) 전입니다.

17 같은 금액을 냈을 경우 사탕을 $50\div2=25$(개)씩 나누어 가지면 되는데 동민이가 본래 가져야 할 사탕보다 3개를 더 가진 셈입니다.

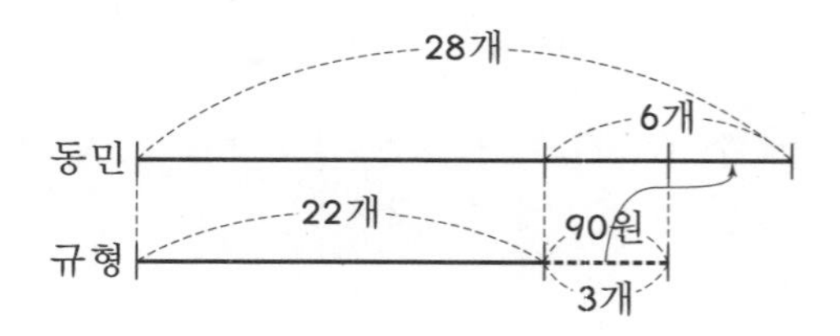

동민이가 3개를 더 가졌기 때문에 규형이에게 90원을 준 것이므로 사탕 한 개의 값은
$90\div3=30$(원)입니다.

18 열차의 길이만큼인 120m를 4초 만에 가는 셈이므로 열차는 1초에 $120\div4=30$(m)를 달린 셈입니다.

19 사람 수를 □명이라 하면

2개 차이 〈 8개 —×□→ 12개 남음 / 10개 —×□→ 14개 부족 〉 26개 차이

따라서, 사람 수는 $26\div2=13$(명)이고, 귤 수는 $8\times13+12=116$(개)입니다.

20 사람 수를 □명이라 하면

5개 차이 〈 7개 —×□→ 15개 남음 / 12개 —×□→ 0 〉 15개 차이

따라서, 사람 수는 $15\div5=3$(명)이므로 지우개 수는 $7\times3+15=36$(개)입니다.

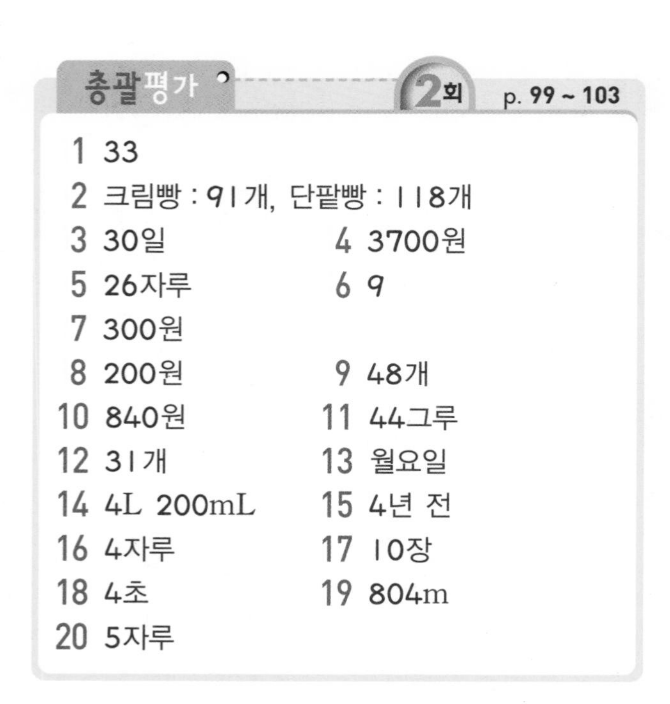

총괄평가 2회 p. 99 ~ 103

1 33
2 크림빵 : 91개, 단팥빵 : 118개
3 30일
4 3700원
5 26자루
6 9
7 300원
8 200원
9 48개
10 840원
11 44그루
12 31개
13 월요일
14 4L 200mL
15 4년 전
16 4자루
17 10장
18 4초
19 804m
20 5자루

1 (어떤 수)+8=41이므로
(어떤 수)=41−8=33입니다.

2 오늘 팔고 남은 빵의 수를 알아보면
크림빵은 247−156=91(개), 단팥빵은
316−198=118(개)입니다.
따라서, 팔고 남은 크림빵은 91개, 단팥빵은 118개입니다.

3 다람쥐 1마리가 하루에 먹는 도토리 수는
6÷3=2(개)이므로 다람쥐 4마리가 하루에 먹는 도토리 수는 4×2=8(개)입니다.
따라서, 도토리 240개를 먹는 데에는
240÷8=30(일)이 걸립니다.

4 30일에 통장에 남은 돈은 5일에 남은 돈에서 15일에 찾은 돈을 빼고, 다시 25일에 예금한 돈을 합하고, 30일에 찾은 돈을 빼서 구합니다.
따라서, 30일에 통장에 남은 돈은
6930−4350+2820−1700=3700(원)입니다.

5 연필 4다스는 12×4=48(자루)이고, 율기와 지혜가 가질 연필의 수를 선분으로 나타내어 보면

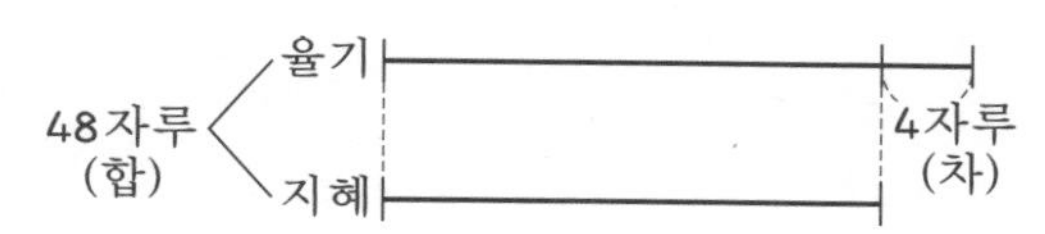

따라서, 율기가 갖는 연필은
(48+4)÷2=26(자루)입니다.

6 문제를 그림으로 나타내면

㉮ ⇄ (×7 / ÷7) ㉯ ⇄ (−15 / +15) 48

㉯에 들어갈 수는 48+15=63, ㉮에 들어갈 수는 63÷7=9입니다.
따라서, 어떤 수는 9입니다.

7 문제를 그림으로 나타내면

㉮ ⇄ (−4 / +4) ㉯ ⇄ (−3 / +3) 3

㉯에 들어갈 수는 3+3=6, ㉮에 들어갈 수는 6+4=10이므로 처음에 있던 스티커는 모두 10장입니다.
따라서, 처음에 있던 스티커 전체의 값은
30×10=300(원)입니다.

8 지우개 3개와 연필 2자루, 색종이 4묶음은 연필 2자루와 색종이 4묶음과의 관계에서 지우개 3개만큼의 차이가 납니다.
따라서, 지우개 3개의 값은
2900−2300=600(원)이므로 지우개 1개의 값은 200원입니다.

9 둘레에 놓인 바둑돌을 4등분 하여 생각합니다.
따라서, (13−1)×4=48(개)입니다.

10 둘레에 놓인 동전은 (22−1)×4=84(개)입니다.
따라서, 둘레에 놓인 동전의 금액의 합은
10×84=840(원)입니다.

11 간격의 수는 84÷4=21(개)이므로 도로의 한 쪽에 필요한 나무는 21+1=22(그루)입니다.
따라서, 도로의 양쪽에 필요한 나무는
22×2=44(그루)입니다.

12 반복되는 부분은 ▣◈⊙▣▣이고, 이 중에는 ▣가 3개 들어 있습니다.
53÷5=10…3이므로 반복되는 부분은 10묶음이 되고, 도형이 3개 남으며, 남는 도형 중 ▣는 1개입니다.
따라서, ▣는 3×10+1=31(개) 있습니다.

13 4월과 6월은 30일까지 있고, 5월은 31일까지 있으므로 7월 4일은 4월 23일부터
7+31+30+4=72(일) 후입니다.
따라서, 72÷7=10…2이므로 토요일부터 2일 후의 요일인 월요일입니다.

14 (웅이가 일 주일 동안 마시는 물의 양)
=(하루 평균 마시는 물의 양)×7
=600×7=4200(mL)
따라서, 1000mL=1L이므로 일 주일 동안 4L 200mL의 물을 마십니다.

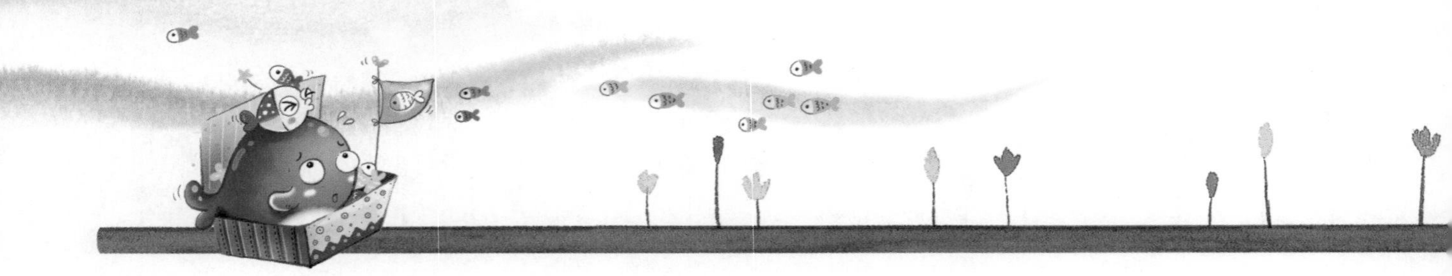

15 올해 동생의 나이는 합과 차의 관계를 이용하여 구할 수 있습니다.
따라서, $(28-10)\div2=9$(살)입니다.
한솔이의 나이가 동생의 나이의 3배가 되도록 그림을 그려 보면 다음과 같습니다.

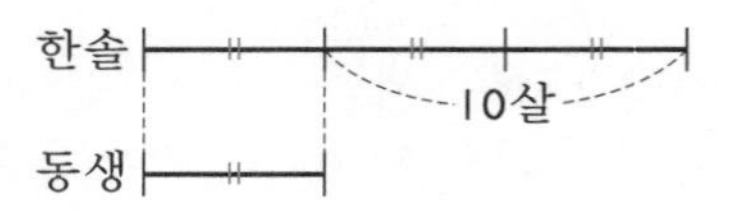

위의 그림에서 한솔이의 나이가 동생의 나이의 3배가 되었을 때 동생의 나이는
$10\div(3-1)=5$(살)이므로 $9-5=4$(년) 전입니다.

16 두 사람이 갖고 있는 연필 수는
$15+23=38$(자루)이므로
두 사람이 각각 $38\div2=19$(자루)씩 가져야 같아집니다.
따라서, 석기는 율기에게 연필을
$23-19=4$(자루) 주었습니다.

17 두 사람이 갖고 있는 카드의 수의 합은
$70+50=120$(장)입니다.
가영이가 예슬이에게 카드를 주고 난 뒤를 그림으로 나타내면 다음과 같습니다.

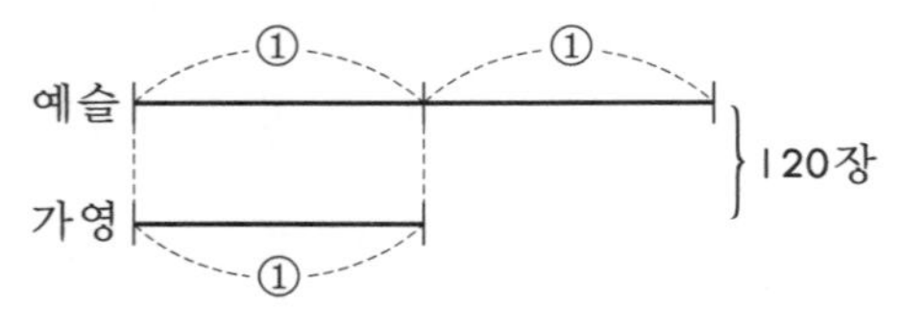

위의 그림에서 가영이의 카드가
$120\div(2+1)=40$(장)이 되므로 가영이가 예슬이에게 $50-40=10$(장)을 주었습니다.

18 코끼리 열차의 길이만큼인 16m를 1초에 4m의 빠르기로 가는 셈이므로 걸리는 시간은
$16\div4=4$(초)입니다.

19 열차가 움직인 총 거리는 $22\times42=924$(m)이므로 터널의 길이는 $924-120=804$(m)입니다.

20 사람 수를 □명이라 하면

3자루 차이 〈 5자루 $\xrightarrow{\times\square}$ 15자루 부족 / 2자루 $\xrightarrow{\times\square}$ 3자루 부족 〉 12자루 차이

따라서, 사람 수는 $12\div3=4$(명)이고, 연필 수는 $5\times4-15=5$(자루)입니다.

Memo

Memo

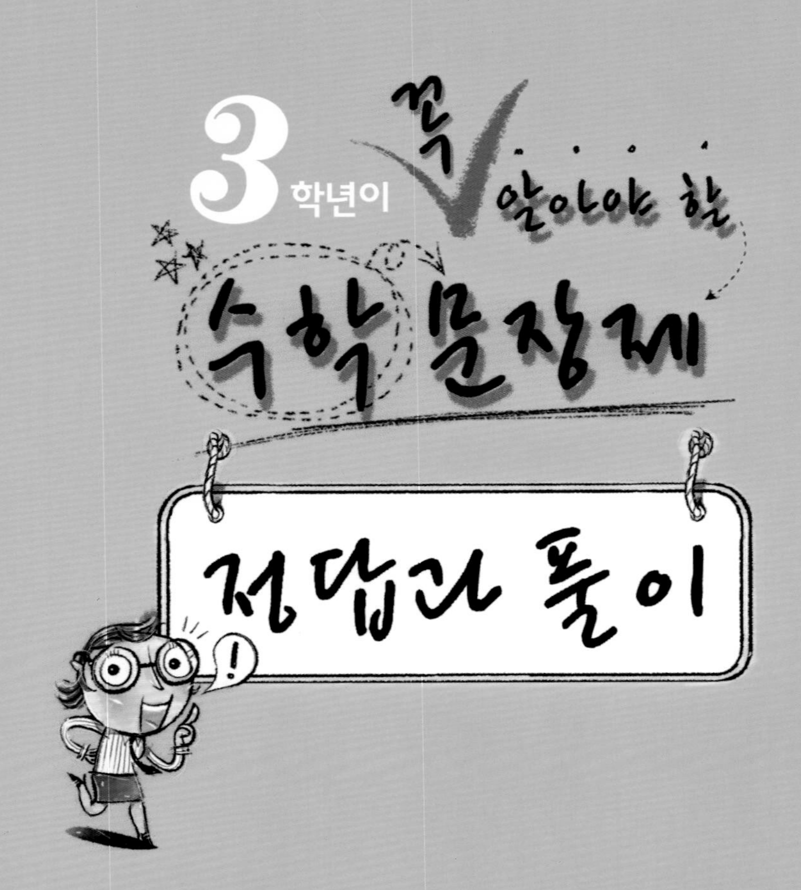
3학년이
꼭
알아야 할
수학 문장제
정답과 풀이
!